Titanic

>>> **Entdeckung auf dem Meeresgrund**

**Wissenschaftliche Beratung: Günter Bäbler
und Jean-Louis Michel**

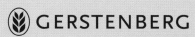
GERSTENBERG

Maja Nielsen kam durch ihre Söhne zum Schreiben spannender Abenteuergeschichten. Viele davon sind als Bücher und Hörbücher erschienen oder wurden als Hörspiele und Reportagen im Rundfunk gesendet. Für die Bücher der Reihe *Abenteuer!* stehen ihr Experten der jeweiligen Sachgebiete zur Seite.

Wissenschaftliche Beratung dieses Bandes: Günter Bäbler und Jean-Louis Michel
Günter Bäbler interessiert sich seit seiner Kindheit für die *Titanic* und hat in fast 30 Jahren eines der größten *Titanic*-Archive der Welt zusammengetragen. Er veröffentlichte mehrere Bücher über das berühmte Schiff und arbeitete als historischer Berater für diverse *Titanic*-Ausstellungen. Zweimal war er auf Expeditionen zur *Titanic* mit dabei. Seit 1998 ist er Präsident des *Titanic*-Vereins Schweiz. Der Verein gibt die *Titanic Post* heraus, ein Magazin mit Artikeln rund um die *Titanic*. Das Heft zählt zu den meistbeachteten Fachpublikationen der Welt. Weitere Informationen unter www.titanicverein.ch
Jean-Louis Michel hat Ingenieurswissenschaften studiert und arbeitet beim französischen Meeresforschungsinstitut IFREMER. Er entwickelte zahlreiche Geräte zur Erforschung der Meere, darunter auch optische Geräte, mit denen es 1985 gelang, das Wrack der *Titanic* zu finden.

3. Auflage 2014
Copyright © 2011 Gerstenberg Verlag, Hildesheim
Alle Rechte vorbehalten.
Reihenkonzeption: Magdalene Krumbeck, Wuppertal
Gestaltung, Satz und Litho: typocepta, Köln
Illustrationen: Magdalene Krumbeck, Wuppertal
Druck: Offizin Andersen Nexö, Zwenkau. Printed in Germany

www.gerstenberg-verlag.de

ISBN 978-3-8369-4872-2

Inhalt

Passagierschiffe

>>> **Heute fliegen täglich** viele Dutzend Flugzeuge im Linienverkehr zwischen Europa und Amerika hin und her. Vor hundert Jahren war das noch ganz anders: Wer den „großen Teich" überqueren wollte, tat das an Bord eines Dampfschiffes. Um dem Strom der Auswanderer gerecht zu werden, die es um die Jahrhundertwende aus allen Teilen Europas in die neue Welt zog, machten sich täglich mehrere Passagierschiffe auf die Reise von Europa nach Nordamerika.

Im Jahr 1912 sind nicht nur Auswanderer an Bord der Dampfschiffe, die im Liniendienst im Überseeverkehr vor allem auf der Transatlantikroute zwischen Europa und Nordamerika hin und her fahren. Bei der feinen Gesellschaft in der Alten und der Neuen Welt ist es Mode geworden, an Bord eines Luxusliners standesgemäß den Atlantik zu überqueren. Wetteiferten die Reedereien lange Zeit darum, welches Schiff das schnellste ist, geht es inzwischen auch darum, welches Schiff den größten Komfort auf der Überfahrt bieten kann. Die White-Star-Reederei will mit ihren drei eleganten neuen Schiffen – der *Olympic*, der *Titanic* und der noch nicht vom Stapel gelaufenen *Gigantic* – die Konkurrenz in den Schatten stellen.

Als die *Titanic* am 10. April 1912 von Southampton aus zu ihrer Jungfernfahrt antritt, versetzen ihre Größe, ihre Eleganz, ihre Vollkommenheit und der verschwenderische Luxus, der den 1.-Klasse-Passagieren geboten wird, die Menschen in Staunen. Solch ein Schiff hat die Welt noch nicht gesehen! Jubelnd verabschiedet eine begeisterte Menschenmenge, die neugierig am Dock zusammengelaufen ist, die Ausfahrt des stählernen Giganten aus dem Hafen.

Doch dann passiert die Katastrophe – und die *Titanic*, die umjubelte Königin der Meere, wird zur traurigen Legende. Ihr Schicksal ließ die Menschen auch Jahrzehnte nach dem Unglück nicht los. Immer wieder wurde versucht, das berühmte Schiff, das in den Tiefen des Atlantiks verschwunden war, zu finden – vergebens. Erst im Jahr 1985 kommen die beiden Tiefseeforscher Jean-Louis Michel und Robert Ballard der *Titanic* auf die Spur …

Jedem Mann an Bord war klar, dass nie zuvor ein Schiff die Welt so bewegt hat wie dieses.
Charles Lightoller

1.

Die Königin des Ozeans

> > > **Der Himmel ist voller Sterne.** Sie spiegeln sich im schwarzen Wasser. Mit 22 Knoten pflügt das größte Schiff der Welt, der Atlantikdampfer *Titanic*, durch die klare Nacht. Eine gewaltige Entfernung kann der wachhabende Offizier Charles Lightoller von der Brücke aus überblicken. Wegen der funkelnden, sich spiegelnden Sterne ist kaum auszumachen, wo der Ozean endet, wo der Himmel beginnt. Es herrscht völlige Windstille. Die See ist glatt wie poliertes Silber.

Die Temperaturen liegen um den Gefrierpunkt. Charles Lightoller haucht sich Wärme in die eiskalten Hände. Während seiner Wache trägt er die alleinige Verantwortung für das größte Schiff der Welt. Dieses Schiff stellt alle anderen Schiffe, die er kennt, in den Schatten: Fast 40 000 Tonnen Stahl sind verbaut worden. Wenn man die *Titanic* hochkant stellen würde, wäre sie fast so hoch wie der Eiffelturm. Sie ist das größte bewegliche von Menschen geschaffene Objekt der Welt.

Unten: Luxus und beispiellose Größe – dafür steht die *Titanic*. Rechts neben dem Schiff: der Kölner Dom, die Pyramide von Gizeh und der Petersdom in Rom. Links die damals höchsten Gebäude der USA.

Dieses Boot ist grandioser, als man es sich überhaupt vorstellen kann. Es besitzt alles, was man sich nur wünschen kann: einen Swimmingpool, ein türkisches Dampfbad, einen Fitnessraum, mehrere Squashplätze, Cafés, Gärten, in denen man den Tee zu sich nimmt, Rauchsalons und eine Lounge, die größer ist als in jedem Grandhotel.

1.-Klasse-Passagierin Edith Rosenbaum in einem Brief von der *Titanic*

Oben: Das Treppenhaus der 1. Klasse, zu dem auch drei Aufzüge gehören, ist dank der Glaskuppel tagsüber lichtdurchflutet. Bei der Gestaltung ließ man sich vom Prunkschloss Ludwigs XIV. in Versailles inspirieren.

Auf dem 269 Meter langen Schiff kann man sich regelrecht verirren. In den ersten Tagen musste auch Lightoller erst einmal herausfinden, wie man auf dem kürzesten Weg vom Squashraum auf dem untersten Deck zum verglasten Promenadendeck der 1. Klasse auf dem A-Deck und von da zum eleganten Café Parisien auf dem B-Deck der 1. Klasse im 6. Stockwerk gelangen konnte. Jede Klasse hat ihr eigenes Deck. Einfach ist es nicht, den verschachtelten Weg aus dem Bauch des Schiffes, wo sich die Kabinen der 3. Klasse befinden, aufs Bootsdeck zu finden.

2208 Menschen sind an Bord, allein 891 Mann Besatzung! Einige der reichsten Männer der Welt finden sich unter den Passagieren. Der berühmteste unter ihnen ist sicherlich John Jacob Astor, dessen Geld in zahlreichen Luxushotels steckt. Oder sind Mr und Mrs Straus womöglich noch bekannter?, fragt sich Lightoller. Sie sind die Besitzer von Macy's, dem größten Kaufhaus der Welt. Zum Kreis der Milliardäre gehört auch Benjamin Guggenheim. Die Guggenheims beherrschen einen Großteil der weltweiten Kupferproduktion. Anstelle von seiner Frau wird Guggenheim auf der Reise von seiner bezaubernden französischen Geliebten begleitet. 4000 Pfund kosten

9

Die Kabinen der 2. Klasse sind ausgestattet wie auf anderen Passagierschiffen die der 1. Klasse. Es gibt einen eigenen Speisesaal, einen Aufenthaltsraum, einen Rauchsalon und eine eigene Bibliothek.

Ich fühle mich hier eher wie in einem großen Hotel als auf einem gemütlichen Schiff. Alle verhalten sich sehr steif und förmlich. Überall sind dienstbare Geister: Hunderte von Pagen, Stewards und Stewardessen, und es gibt mehrere Lifts.

1.-Klasse-Passagierin Edith Rosenbaum in einem Brief von der *Titanic*

die teuersten Luxuskabinen während der Hauptsaison. Von dem Geld könnte sich Lightoller zu Hause in Chorley ein Häuschen kaufen.

Die Mehrzahl der Passagiere reist allerdings 2. oder 3. Klasse. Hier werden nahezu alle Sprachen Europas gesprochen: Englisch, Schwedisch, Deutsch, Russisch, Italienisch, Griechisch, Norwegisch, Arabisch und noch weitere Sprachen, die Lightoller noch nie zuvor gehört hat. Viele der Familien sind Auswanderer, die in Amerika ein neues Leben beginnen wollen. Sie sind einfach, aber gut und sauber in Vier- bis Acht-Bett-Kabinen untergebracht. Dort unten im Bauch des Schiffes gibt es auch einen Speisesaal, in dem die Leute bei Tisch bedient werden – für die meisten Passagiere der 3. Klasse ein Erlebnis, das sie an Land noch nie hatten.

Tickets

In der 3. Klasse zahlen die Passagiere während der Zwischensaison ab Southampton £ 8 für die reine Überfahrt nach New York. Ein Arbeiter verdient zu dieser Zeit etwa £ 5 im Monat; Arbeiterfamilien müssen daher lange sparen, um sich eine Überfahrt leisten zu können. In der 2. Klasse kosten die Fahrkarten etwa £ 13. In der 1. Klasse sind die Preise sehr unterschiedlich. Sie liegen zwischen £ 30 und £ 660 – je nach Ausstattung der Kabinen. Nach heutigem Verständnis würde die Luxusklasse etwa £ 240 000 kosten – das sind 280 000 €!

Zwischen 1870 und 1914 wandern 25 Millionen Menschen in die USA ein. Die *Titanic* ist als Auswandererschiff registriert. Sie befördert in der 3. Klasse viele Immigranten, die all ihre Habe mit sich führen.

Der Präsident der White-Star-Reederei, Bruce Ismay, hat es sich nicht nehmen lassen, auf der Jungfernfahrt der funkelnagelneuen *Titanic* nach Amerika dabei zu sein. Auch der leitende Konstrukteur des Schiffes, der erst 38-jährige Ingenieur Thomas Andrews, befindet sich an Bord. Er ist technischer Direktor der Werft Harland & Wolff im irischen Belfast, die das Schiff gebaut hat. Seine Aufgabe ist es, während der Überfahrt festzustellen, welche Verbesserungen auf dem Schiff noch vorzunehmen sind. In der 1. Klasse bleiben jedoch kaum Wünsche offen: elegante Möbel, fließend Wasser, Telefone, mehrere Aufzüge und ein elektrisches Klingelsystem, mit dem die Stewards in Sekundenschnelle herbeigerufen werden können. Ein Palmenhofcafé lädt zum Träumen ein, ein türkisches Bad zur Entspannung. Der Gymnastiksaal ist mit einem mechanischen Kamel ausgestattet, auf das sich die Passagiere unter Anleitung eines Gymnastiklehrers hinaufwagen können, zudem gibt es ein Schwimmbad und einen Squashplatz. Angesichts der mehrgängigen Menüs im eleganten Speisesaal tut ein wenig Bewegung gut.

Dampfschiffe sind Lightollers Leidenschaft. Seitdem er 13 Jahre alt ist, fährt er zur See. Das Matrosenhandwerk hat er auf Segelschiffen gelernt. Er hat so ziemlich alles erlebt, was man als Seemann erleben kann, Schiffbruch inbegriffen. Er ist buchstäblich mit den Wassern aller sieben Weltmeere gewaschen. Mehr als einmal ist er dem Tod erst in letzter Sekunde von der Schippe gesprungen. Irgendwann hatte er von dem gefahrvollen Leben auf See die Nase voll und hat sein Glück an Land versucht: Beim Viehtrieb in Kanada hat er als Cowboy seine Knochen hingehalten, als Wanderarbeiter ist er kreuz und quer durch ganz Amerika getingelt. Außerdem war er beim großen Goldrausch von 1898 am Klondike dabei. Eingebracht hat ihm das alles nichts, zuletzt ist er doch wieder zur See gefahren.

Seit nunmehr zwölf Jahren fährt er für die Reederei White Star Line, darunter auch schon unter dem Kommando von Kapitän E. J. Smith – seitdem verläuft sein Leben in ruhigerem Fahrwasser.

Der große, stämmige Smith sieht mit seinem Vollbart genau so aus, wie man sich einen brummigen Seebären vorstellt. Man denkt bei dem kräftigen Kerl, dass seine Stimme wie ein

Nebelhorn klingen muss. Aber Smith hat es kaum nötig, herumzu-
brüllen. Die Mannschaft hat auch so Respekt vor ihm.

Auch bei den Gästen ist der Kapitän beliebt. Deshalb hat die
Reederei bestimmt, dass Smith das luxuriöse Schiff auf der Jungfernfahrt über den Atlantik bringt. Smith versteht sein Handwerk.
Dies ist seine letzte Fahrt. Nach der Rückkehr soll der 62-Jährige in
den Ruhestand versetzt werden.

Lightholler schließt kurz die Augen und genießt das gleichmä-
ßige, kraftvolle Vorwärtskommen des Schiffes. Nicht das kleinste
Zittern, nicht der Hauch einer Vibration, wie er sie von anderen
Dampfschiffen kennt, ist zu spüren. Die Maschinenanlage der *Tita-
nic* ist ein technisches Meisterwerk. Sie ist auf dem neuesten Stand
der Ingenieurskunst. Ein Kolbendampfantrieb, gepaart mit einer
Niederdruckturbine, sorgen für eine geradezu ideale Kraftübertra-
gung bei gleich bleibendem Dampf. 29 riesige Kessel treiben das
Schiff an. Sie werden von 159 Feuerstellen beheizt. Durch drei gi-
gantische Schornsteine entweichen Rauch und Abgase. Der vierte
Schornstein ist eine Attrappe und dient lediglich der Ventilation.
Mit ihren 46 000 PS wird die *Titanic* auf der Atlantiküberquerung
zwar keine Geschwindigkeitsrekorde brechen, aber darum geht es

Das Foto stammt vom 9. Juni
1911. Es zeigt Offiziere des
White-Star-Liners *Olympic*,
links 1. Offizier William Murdoch, rechts Kapitän Edward
J. Smith. Die beiden über-
nehmen im April 1912 das
Kommando auf der *Titanic*.

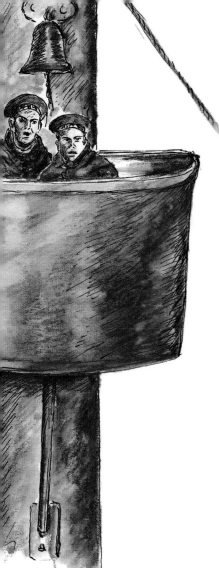

bei diesem Schiff auch gar nicht. Dieses Schiff soll seinen Passagieren den größten Luxus bieten, der auf einer Atlantiküberquerung zu dieser Zeit geboten wird.

Die Temperatur scheint noch zu fallen, stellt Lightoller fest und reibt sich die kalten Hände. Ungemütlich ist es hier draußen, kein Wunder, dass sich kaum Passagiere an Deck befinden. Gut, dass seine Schicht jetzt endet. Gleich ist es 22 Uhr. Da kommt seine Ablösung auch schon. Lightoller übergibt dem 1. Offizier Murdoch das Kommando, meldet ihm Position, Geschwindigkeit und Wetterdaten. Dazu gehört auch, dass er ihm von einer Eiswarnung berichtet, die ihm die Funker vor etwa einer Viertelstunde übermittelt haben. Sie stammt von der *Mesaba*, einem Schiff, das auf dem gleichen Kurs wie die *Titanic* unterwegs ist. Es ist zwar die siebte Eiswarnung des Tages, aber sie versetzt die beiden Offiziere nicht in Unruhe. Im April muss man in diesem Teil des Atlantiks mit Eis rechnen.

Die Offiziere tauschen sich kurz darüber aus, wie groß die Chance ist, dass sie überhaupt auf Eis treffen. Lightoller gibt zu bedenken, wie schwierig es bei ruhiger See ist, einen Eisberg auszumachen. Viel einfacher erkennt man Eisberge, wenn die See rau ist und sich die Wellen an ihnen brechen. Zudem sind Eisberge an der Seite, an der sie vom Gletscher abbrechen, zu Anfang immer schwarz. Erst mit der Zeit wird das frische Eis weiß. Sollte ihnen in dieser mondlosen Nacht ein Eisberg mit der Abbruchseite nach vorn entgegenkommen, dann Gute Nacht! Wahrscheinlich würden die Männer im Krähennest ihn erst kurz vor dem Schiff entdecken. Trotz der Eiswarnung verlangsamt die *Titanic* ihr zügiges Tempo von 22 Knoten nicht. Nur wenn Nebel aufkommt, sollen die Maschinen gedrosselt werden. So lautet die Anweisung von Kapitän Smith. So halten es seit einem Vierteljahrhundert alle Schnelldampfer auf einer Atlantiküberquerung: Erst wenn man das Eis sieht oder wenn man wegen Nebel gar nichts mehr sieht, macht man langsamere Fahrt. Die beiden Offiziere plaudern noch ein wenig – sie kennen sich schon lange, haben viele Seemeilen gemeinsam zurückgelegt –, dann begibt sich Lightoller in seine Kajüte.

? Das Blaue Band

Mit dem Ehrentitel „Blaues Band" wurde seit 1838 das schnellste Schiff auf der Transatlantikroute von Europa nach New York ausgezeichnet. Die Geschichte der transatlantischen Dampfschifffahrt ist eng verknüpft mit dem Wettstreit der Passagierdampfer um diese Ehrung. Dauerte eine Atlantiküberquerung im Jahr 1838, in den Anfängen der Dampfschifffahrt, noch um die 15 Tage, brauchten die schnellsten Schiffe 1912 weniger als fünf Tage. Es wurde später fälschlich behauptet, die *Titanic* sei unvorsichtig schnell gefahren, weil sie das Blaue Band erobern wollte. Die *Titanic* trat aber nicht zum Wettstreit um das Blaue Band an, denn sie war dazu nicht schnell genug.

Der Eisberg

>>> **Auch während Murdochs Wache** gibt es zunächst keine besonderen Vorkommnisse. Es ist noch kälter geworden. Die beiden Männer im Krähennest frieren. Ihr Atem bildet Nebelschwaden. Zwanzig Minuten müssen sie noch aushalten. Um Mitternacht ist die Schicht endlich um. Mittlerweile hat sich leichter Dunst ausgebreitet. Wäre jetzt besser, wenn sie auf ihrem Ausguck Ferngläser zur Hand hätten, denkt der 24-jährige Vollmatrose Frederick Fleet. Aber die sind zwischen Belfast und South-

90 % des Volumens eines jeden Eisberges befinden sich unter Wasser und sind somit unsichtbar. Dem Ausguck der *Titanic* wird seine Aufgabe, nach Eisbergen Ausschau zu halten, noch dadurch erschwert, dass sie keine Ferngläser haben.

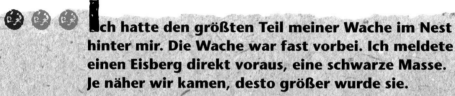

Ich hatte den größten Teil meiner Wache im Nest hinter mir. Die Wache war fast vorbei. Ich meldete einen Eisberg direkt voraus, eine schwarze Masse. Je näher wir kamen, desto größer wurde sie.

Frederick Fleet, Vollmatrose und Beobachtungsposten auf der *Titanic*

hampton abhanden gekommen, noch bevor die Reise über den großen Teich begann. Weiß der Klabautermann, wo die stecken.

Plötzlich sieht er eine schwarze Masse genau auf dem Kurs des Schiffes. Das Schiff fährt schnell und ebenso schnell kommt die Masse auf sie zu. Er läutet die Warnglocke – drei Schläge – und ruft sofort auf der Brücke an. „Was haben Sie gesehen?", fragt der Wachhabende. „Ein Eisberg – direkt voraus", gibt Fleet knapp zurück. „Danke sehr!", bekommt er zur Antwort.

Murdoch reagiert innerhalb von Bruchteilen von Sekunden: Er lässt die Maschinen stoppen und dann volle Kraft zurückfahren. Der Steuermann im Ruderhaus bekommt die Anweisung, das Ruder hart Steuerbord zu drehen. Die Nottüren werden geschlossen. Das Schiff schwenkt leicht nach Backbord, also nach links. Sie glauben schon, dass sie dem knapp über das oberste Deck hinausragenden Berg noch rechtzeitig ausweichen konnten, da hört Steuermann Robert Hitchens im unteren Teil des Schiffes ein mahlendes Geräusch. „Das war eine scharfe Rasur!", denkt Frederick Fleet im Ausguck. Das Schiff fährt noch etwas weiter in die vorgegebene Richtung, dann bleibt es stehen.

Auch Lightoller, der kurz davor war einzuschlafen, hat die leichte Erschütterung wahrgenommen. Er weiß sofort, dass sie etwas gerammt haben müssen. In Schlafanzug rennt er an Deck. Aber er kann weder auf der Steuerbordseite noch auf der Backbordseite irgendetwas Ungewöhnliches entdecken. Auf der Brücke ist nur erwünscht, wer gerade Dienst hat. In seinem Schlafanzug braucht er sich dort nicht blicken zu lassen. Er geht zurück in seine Kajüte und wartet. Wenn sie ihn brauchen, werden sie ihn hier suchen.

Auf dem Schiff hat kaum jemand etwas von dem Zusammenstoß mitbekommen. Im Speisesaal der 1. Klasse sitzen die Kellner an einem Tisch zusammen und nehmen ein spätes Abendbrot zu sich.

 Seemannsbegriffe

Backbord: die in Fahrtrichtung gesehen linke Seite eines Schiffes
Steuerbord: die in Fahrtrichtung gesehen rechte Seite eines Schiffes
Bug: vorderes Schiffsende, Vorderschiff
Heck: hinteres Schiffsende, Hinterschiff
achtern: hinten ab mittschiffs, also ab der Mitte des Schiffes
Brücke: ein zur besseren Rundumsicht erhöhter Aufbau, von dem aus das Schiff geführt wird; häufig auch Kommandobrücke genannt

R.M.S. Titanic

„R.M.S." steht für „Royal Mail Ship", also „Königliches Postschiff". Die Post bezahlt für jeden Postsack, den die *Titanic* befördert, gutes Geld. „Königliches Postschiff" zu sein gilt auch heute noch als Auszeichnung, denn es bedeutet, dass dieses Schiff als besonders sicher angesehen wird. *S.S. Titanic* steht für „Steam Ship" – also Dampfschiff. Manchmal findet man auch die Bezeichnung *T.S.S. Titanic*. T.S.S. steht für „Triple Screw Steamer" – Dreischrauben-Dampfer – und bezieht sich auf den Antrieb.

Der letzte Gast ist längst gegangen. Für das Frühstück am nächsten Morgen haben sie schon eingedeckt. Als plötzlich das Silberbesteck zu klappern beginnt, unterbrechen sie das Tischgespräch. Das ist noch nie vorgekommen. Aber es ist nur ein ganz kurzer Moment. Dem Bäcker in der Bordbäckerei im Heck des Schiffes ist ein Blech mit frischen Brötchen vom Ofen gerutscht.

Hinter dem Vordermast sind mehrere Tonnen Eis auf das Steuerborddeck gekracht. Hier ist der Erholungsbereich der 3. Klasse. Einige Passagiere sind durch den Lärm nach draußen gelockt worden. Jetzt kicken sie vergnügt das Eis über das Deck. Dabei lachen sie wie kleine Kinder.

Kein Geräusch, kein Schrei in der Nacht, keine Alarmmeldung, niemand aufgeregt – es gab wirklich nichts, was selbst ängstlichen Menschen hätte Furcht einflößen können.

Lawrence Beesley, überlebender Passagier der 2. Klasse

Der Eisberg verbiegt die Schiffsaußenwand. Durch mehrere Risse dringt das Wasser in mindestens sechs der abschottbaren Abteilungen ein.

Während man auf der Brücke noch hofft, dass sie mit ein paar hässlichen Kratzern davongekommen sind, stellt sich die Situation für die Männer im Kesselraum weit unten im Bauch des Schiffes ganz anders dar.

Auf Murdochs Anweisung, die Maschinen zu stoppen, heult eine Sirene im Maschinenraum und rote Lämpchen leuchten auf. Im selben Augenblick unterbrechen die Maschinisten die Dampfzufuhr. Kurze Zeit später fängt es im Kesselraum plötzlich ohrenbetäubend an zu krachen. Ein Geräusch, als würde jemand eine riesige Kanone abfeuern, ein einziges Donnergetöse. Und mit dem haarsträubenden Geräusch brechen eiskalte Wassermassen in den vordersten Kesselraum ein. Der Ingenieur und sein erster Heizer rennen um ihr Leben, bringen sich in Kesselraum 5 in Sicherheit. Unmittelbar hinter ihnen schließt sich die wasserdichte Stahltür. Die übrigen Arbeiter des Kesselraums entkommen über Leitern der Gefahr. Sie retten sich auf das E-Deck.

Aus allen acht Lüftungsrohren entströmt nach dem Maschinenstopp zischend und donnernd der abgelassene Dampf aus den Heizkesseln. Es klingt wie ein Konzert von zwanzig Dampfloks, nur tiefer. Auf dem Oberdeck muss man jetzt schreien, wenn man sich etwas mitteilen möchte. Bereits wenige Minuten nach der Kollision ist der Kapitän auf der Brücke. Er versucht sich einen Überblick zu verschaffen. Gemeinsam mit Thomas Andrews, dem Konstrukteur des Schiffes, geht er unter Deck. Um kein Aufsehen zu erregen, nehmen sie die Mannschaftstreppen. Andrews kennt das Schiff in- und auswendig, er kann den Schaden am besten einschätzen.

Der Postraum unten im F-Deck steht unter Wasser. Die Royal Mail – die englische Post – transportiert auf der *Titanic* zahlreiche Päckchen und Pakete und etwa 400 000 eingeschriebene Briefe. Die Postsäcke treiben auf den Wogen. Kein schöner Anblick. Im Squashraum, der zehn Meter über dem Kiel liegt, gurgelt grünes Atlantikwasser. Aber zunächst ist der Konstrukteur noch nicht sonderlich beunruhigt. Nach seinem Dafürhalten ist die *Titanic* praktisch unsinkbar, und zwar aus folgendem Grund: 15 Querschotten – ho-

Ursprünglich sollten auf dem Bootsdeck 64 Rettungsboote untergebracht werden, was für die Passagiere der 1. Klasse die schöne Sicht und den Platz beim Spazierengehen jedoch beeinträchtigt hätte. Daher reduzierte man die Anzahl der Boote auf zwanzig.

Wir bauten das Schiff so, dass es schwimmen konnte. Wir bauten es nicht, damit es gegen einen Eisberg oder eine Klippe fahren konnte. Unglücklicherweise geschah genau das.

Alexander Carlisle, Direktor der Werft Harland & Wolff, die die *Titanic* gebaut hat

he, querstehende Wände, die den Rumpf des Schiffes in 16 wasserdichte Abteilungen unterteilen – sollen dafür sorgen, dass nur eine begrenzte Menge Wasser ins Schiff eindringen kann. Wenn eine dieser wasserdichten Kammern beschädigt wird, läuft sie voll. Kein Problem für das Schiff. Das Wasser kann ja nirgendwo hin. Auch bei zwei, drei oder vier beschädigten Abteilungen – je nach Lage – ist das Schiff noch schwimmfähig. Kritisch wird es erst, wenn das Wasser gleichzeitig in die fünf ersten Abteilungen eintritt. Dass das geschieht, ist äußerst unwahrscheinlich.

Aber als sie sich jetzt unten auf dem F-Deck umsehen, erfasst Thomas Andrews mit wachsendem Entsetzen, dass mindestens fünf Abteilungen betroffen sind. Der Eisberg hat das Schiff voll erwischt. Auf einer Länge von 90 Metern dringt durch mehrere Risse entlang der Steuerbordseite Wasser ein. Der Bug der *Titanic* liegt bereits

? Rettungsboote

Die *Titanic* hatte mit 20 Booten (14 Rettungsboote für 65 Personen, zwei Notboote für 40 Personen und vier Faltboote für 47 Personen) Platz für 1178 Menschen. Sie führte mehr Rettungsboote als vom Gesetzgeber verlangt mit sich. Die Anzahl der Rettungsboote wurde durch die Größe eines Passagierdampfers bestimmt, nicht durch die Anzahl der Menschen an Bord. Nach dem Untergang der *Titanic* änderten sich diese Bestimmungen.

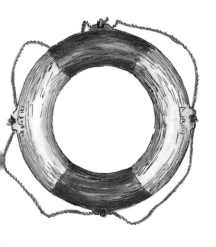

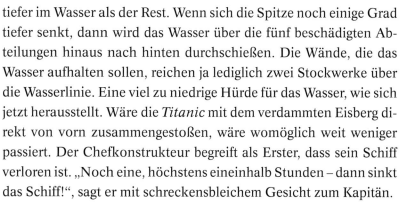

tiefer im Wasser als der Rest. Wenn sich die Spitze noch einige Grad tiefer senkt, dann wird das Wasser über die fünf beschädigten Abteilungen hinaus nach hinten durchschießen. Die Wände, die das Wasser aufhalten sollen, reichen ja lediglich zwei Stockwerke über die Wasserlinie. Eine viel zu niedrige Hürde für das Wasser, wie sich jetzt herausstellt. Wäre die *Titanic* mit dem verdammten Eisberg direkt von vorn zusammengestoßen, wäre womöglich weit weniger passiert. Der Chefkonstrukteur begreift als Erster, dass sein Schiff verloren ist. „Noch eine, höchstens eineinhalb Stunden – dann sinkt das Schiff!", sagt er mit schreckensbleichem Gesicht zum Kapitän.

Kapitän Smith weiß so gut wie Andrews, dass sich über 2200 Personen an Bord befinden und dass die Rettungsboote der *Titanic* maximal 1178 von ihnen aufnehmen können. Wenn andere Schiffe dem sinkenden Schiff nicht rechtzeitig zu Hilfe kommen, werden mindestens tausend Menschen die nächsten Stunden nicht überleben. Smith muss jetzt handeln. Als Erstes muss er einen Notruf absetzen. Während er die Treppen zum obersten Deck hochstürmt, macht er sich die Aufgaben, die vor ihm und seinen Offizieren liegen, klar.

Die meisten Passagiere schlafen. Es muss gelingen, die Menschen zu wecken, sie dazu zu bringen, zügig die Rettungsboote zu besteigen, und gleichzeitig dafür zu sorgen, dass an Bord keine Panik ausbricht. Das Schiff scheint verloren, noch aber besteht die Hoffnung, dass wenigstens alle Menschen an Bord der *Titanic* durch andere Schiffe gerettet werden. Boxhall, der 4. Offizier, hat in fünf bis zehn Meilen Entfernung die Lichter eines Schiffes gesehen. Das wird den Funkspruch hoffentlich empfangen.

Auf dem obersten Deck erteilt Smith den Befehl, sämtliche Offiziere zu wecken und die Rettungsboote klarzumachen. Dann begibt er sich eiligen Schrittes in den Funkraum und weist die Funker an, den Notruf abzusetzen.

Das letzte Foto von Kapitän Smith: Links oben im Bild sieht der Kapitän aus einem Fenster auf der Kommandobrücke.

3

SOS

> > > **„Setzen Sie einen Hilferuf ab!"**, sagt Kapitän Smith um 0 Uhr 15 zu dem Funker John George Phillips und reicht ihm die genaue Position des Schiffes. „Sofort!"

„CQD", morst Phillips. Come quick, danger! Kommt schnell, Gefahr! Auch mit SOS versucht er es, dem neuen internationalen Notruf, der aber noch nicht auf allen Schiffen bekannt ist.

Ein Dutzend Mal geht der Hilferuf in die Nacht hinaus – und wird von mehreren Schiffen gehört: von der *Olympic*, dem Schwesterschiff der *Titanic* von der White Star Line, der *Frankfurt*, der *Birma*, der *Baltic*, der *Virginian*, der *Mount Temple* und der *Carpathia*. Mit 58 Meilen Entfernung ist die *Carpathia*, ein Schiff der Cunard Line, am nächsten dran.

Es ist 0 Uhr 35. Der Funker der *Carpathia* will gerade Feierabend machen, als der Notruf hereinkommt. Er hat bereits seine Jacke ausgezogen, will nach seiner 14-stündigen Schicht endlich in die Koje. Es ist reiner Zufall, dass er die Kopfhörer noch nicht abgelegt hat. Er rennt mit der Nachricht auf die Brücke. Der wachhabende 1. Offizier hält das Ganze für einen verspäteten Aprilscherz. Die *Titanic* ist unsinkbar! Das weiß jedes Kind. Der Funker hat keine Zeit, darauf zu warten, dass der 1. Offizier den Ernst der Lage erkennt. Er weckt den Kapitän.

Kapitän Arthur Henry Rostron ist bekannt für seine Tatkraft und Entschlossenheit. Er gibt sofort den Befehl, das Schiff zu wenden, setzt doppelt so viele Heizer wie üblich ein und dampft mit Höchstgeschwindigkeit los, um der *Titanic* beizustehen. Bis sie die Unglücksstelle erreichen, muss alles vorbereitet sein, um Schiffbrüchige aufzunehmen. Die gesamte Besatzung wird geweckt, um die Rettungsboote vorzubereiten. Provisorische Krankenstationen werden in den Speisesälen eingerichtet, Unterbringungsmöglichkeiten für die Passagiere der *Titanic* an Bord der *Carpathia* geschaffen: in der Bibliothek, den Rauchsalons, im Zwischendeck. Die Offiziere und selbst der Kapitän werden ihre Kabinen zur Verfügung stel-

Im Funkraum der *Titanic* werden Hilferufe an verschiedene Schiffe gefunkt. Die Empfänger – oben ein Telegramm der *Olympic* – geben den Hilferuf per Funk an andere Schiffe weiter.

SOS ist eine gut verständliche Buchstabenfolge des Morsealphabets – dreimal kurz, dreimal lang, dreimal kurz –, deshalb wurden die Buchstaben als Notruf ausgesucht. Jeder Funker kann das Notfallsignal leicht von anderen Signalen unterscheiden. „Save our Souls – Rettet unsere Seelen" wird erst später als Worterklärung für „SOS" erfunden.

len. Ab 2 Uhr 45 werden regelmäßig Raketen abgeschossen, um den Menschen der *Titanic* zu signalisieren: Hilfe ist unterwegs. Dreieinhalb, eher vier Stunden wird die *Carpathia* brauchen, um den Unglücksort zu erreichen.

Kapitän Smith ist sich im Klaren darüber, dass die *Carpathia* erst eintreffen wird, wenn sein Schiff bereits untergegangen ist. Warum um alles in der Welt gelingt es den Funkern nicht, Kontakt mit dem Schiff aufzunehmen, dessen Mast- und Seitenlichter man in höchstens 10 Meilen Entfernung deutlich sieht? Womöglich schläft der Funker, das wäre eine Erklärung. Viele Schiffe haben nur einen Funker an Bord. Irgendwann begibt sich der Mann zur Ruhe und hat Sendepause. Aber warum reagiert der wachhabende Offizier auf der Brücke nicht auf die Notfallraketen, die Boxhall, der 4. Offizier der *Titanic*, alle paar Minuten abfeuert? Ein weithin sichtbarer, absolut eindeutiger Hilferuf. Boxhall versucht, zusätzlich auch noch mit der Morselampe die Aufmerksamkeit des Schiffes zu erregen. Keine Antwort. Warum nur? Was ist da los?

In der Tat schläft der Funker der *Californian* – so heißt das nur wenige Meilen entfernte Schiff. Cyril Evans' Dienst ging von 7 Uhr früh bis 23 Uhr in der Nacht. Nicht mal ein Sturm könnte den Mann aus dem Schlaf schütteln. Kurz vor Ende seiner Schicht hat er sich tüchtig über den Funker der *Titanic* ärgern müssen. So ein arroganter Kerl! Der Kapitän der *Californian* hatte wegen des Eises in der Nacht die Maschinen gestoppt und Cyril Evans beauftragt, der *Titanic* eine Eiswarnung zuzumorsen. Und wie reagiert der Funker dieses schwimmenden Palasthotels mit seinen 762 Zimmern auf die wohlmeinende Warnung? Er unterbricht die Meldung von der *Californian* und morst zurück: „Maul halten!" Er sei gerade beschäftigt, die privaten Mitteilungen seiner hochwohlgeborenen Gäste zu versenden. „Liebe Tante und Verwandte! Sende Grüße von Jungfernfahrt der *Titanic*, dem größten Schiff der Welt! Stop". Aber Evans ist nach dem langen Tag viel zu müde, um sich lange aufzuregen. Um 0 Uhr 35 nimmt er die Kopfhörer ab und haut sich hin. Wenige Minuten später schläft er bereits tief und fest und hört gar nichts mehr.

Der wachhabende Offizier der *Californian*, Herbert Stone, sieht von der Brücke aus tatsächlich die Raketen, die über dem etwas südlich von der *Califor-*

Keine Hilfe von der *Californian*

Ernest Gill, Ingenieursassistent auf der *Californian,* macht folgende Aussage über die Nacht des 14. April: „Ich blickte über die Reling auf der Steuerbordseite und sah ungefähr zehn Meilen entfernt die Lichter eines sehr großen Schiffes. Ich war ungefähr zehn Minuten an Deck, als ich auf der Steuerbordseite eine weiße Rakete sah. Ich sagte zu mir: „Das muss ein Schiff in Not sein". Es war nicht meine Aufgabe, die Männer im Ausguck oder auf der Brücke zu informieren. Aber sie müssen sie auch gesehen haben. Ich ging wieder schlafen, bis ich um 6 Uhr 40 vom Chef geweckt wurde, der sagte: ‚Steh auf und hilf uns. Die *Titanic* ist untergegangen.'"

nian liegenden Schiff explodieren, einem großen, hell erleuchteten Dampfer. Ist es die *Titanic,* die ihnen auf diesem Kurs entgegenkommt? Er mag den schlafenden Funker nicht wecken, damit der es für ihn herausfindet – der Mann hat sich seine Ruhezeit redlich verdient. Mit einer Morselampe versucht er Kontakt mit dem Schiff aufzunehmen. Vergeblich, er bekommt keine Antwort, das Schiff ist wohl zu weit entfernt, um die Lichtmorsezeichen zu sehen. Nach der fünften Rakete fragt er schließlich über ein Sprachrohr beim Kapitän der *Californian,* der sich im Kartenraum ein bisschen aufs Ohr gelegt hat, an, was er von der Sache hält. „Ausschließlich weiße Raketen?", fragt Kapitän Stanley Lord nach – Notfallraketen sollten eigentlich rot sein. Gut möglich, dass sie da drüben auf dem großen, hell erleuchteten Passagierdampfer einfach ein Feuerwerk zur Unterhaltung der Gäste veranstalten. „Versuchen Sie es noch mal mit der Morselampe!", sagt der Kapitän zu seinem Offizier, dreht sich auf die andere Seite und ist sofort wieder eingeschlafen.

Auf die erneuten Signale mit der Morselampe reagiert der große Passagierdampfer wieder nicht. Nach der achten Rakete informiert der Offizier abermals den Kapitän. Der weiß auch nicht, wie er das Ganze deuten soll, und rät, weiterhin mit der Morselampe Signale zu geben, um herauszufinden, was da drüben los ist. Dann versinkt der Kapitän wieder in seligen Schlaf.

Während die Funker der *Titanic* weiterhin Notrufe absetzen, klopft es an Charles Lightollers Tür. Boxhall steht im Raum, der 4. Offizier. Mit ruhiger Stimme sagt er: „Wir haben einen Eisberg gerammt. Der Postraum in Deck F steht unter Wasser." Die beiden Männer sehen sich kurz an. Die Lage ist ernst, darüber muss kein weiteres Wort verloren werden. Boxhall verschwindet aus der Kajü-

Eine Morsesignallampe. Mit Lichtzeichen kann man Nachrichten von Schiff zu Schiff übermitteln. Das Morsealphabet wird in kurze oder lange Lichtblitze umgesetzt.

Drahtlos

Über Funktechnik werden Signale mithilfe von Radiowellen drahtlos übertragen. 1912 ist dies noch eine relativ neue Kommunikationstechnik. Die Übermittlung erfolgt über Morsezeichen. Das Marconi-Funkgerät an Bord der *Titanic* garantiert eine Reichweite von 350 Meilen und ist damit das leistungsstärkste Funkgerät seiner Zeit. Nachts hat es sogar eine Reichweite von bis zu 2000 Meilen. Die *Titanic* sendete unter dem Funkrufzeichen „MGY". Der italienische Nobelpreisträger Guglielmo Marconi gilt als Erfinder des drahtlosen Funkverkehrs. Marconis Firma – der Marconi Company – verdanken die Überlebenden der *Titanic* ihre Rettung.

Mr. Jack Phillips †
der „Titanic", der bis zum letzten Augenblick Hilferufe für das sinkende Schiff aussandte und den Heldentod in den Wellen des Ozeans fand.

Oben: Der Funker John George Phillips – genannt Jack – sendet bis zum letzten Moment Hilferufe aus. Drei Tage vor dem Untergang feierte er seinen 25. Geburtstag.
Unten: 1385 Postsäcke werden auf der *Titanic* transportiert.

> **Ich fragte den Funker, ob er sich absolut sicher sei, dass es sich um ein Notsignal von der *Titanic* handelt. Ich fragte ihn zweimal. Er versicherte mir, dass er sich absolut sicher sei.**
> Kapitän Rostron von der *Carpathia*

te. Lightoller springt in seine Sachen und begibt sich, so schnell er kann, an Deck. Dort hilft er, die Rettungsboote abzudecken.

Fast zeitgleich werden die Passagiere geweckt.

Die noch schlafenden 1.-Klasse-Passagiere werden von den Stewards informiert und höflich daran erinnert, sich warm anzuziehen. Damen und Kindern wird beim Anlegen der Schwimmwesten geholfen. „Es ist eine reine Vorsichtsmaßnahme!", versucht man die Passagiere zu beruhigen. „Zum Frühstück werden die Herrschaften wieder an Bord sein."

In der 3. Klasse geht es da ruppiger zu: „Alle Mann an Deck, wenn ihr nicht absaufen wollt!", brüllt man den Menschen im Bauch des Schiffes zu. In den untersten Kabinen steht schon das Wasser. Etwa so viel, als habe jemand einen Eimer ausgeschüttet. Aber keiner fühlt sich davon bedroht. Im Rauchsalon der 3. Klasse

haut jemand in die Tasten des Klaviers. Ein paar Leute, die schon Schwimmwesten angelegt haben, fangen aus Übermut an zu tanzen.

Mrs Albert Caldwell aus der 2. Klasse fragt einen der Stewards, ob Anlass zur Sorge bestünde. „Nicht einmal Gott könnte dieses Schiff versenken!", erhält sie zur Antwort.

Auch die Besatzung – jeweils bis zu 54 Männer sind in einem Schlafsaal untergebracht – mag nicht an eine Katastrophe glauben, als man sie mit den Worten: „Das Ding schluckt Wasser. An eurer Stelle würd' ich aufstehen, Freunde!", aus dem Schlaf trommelt.

Nur die Heizer und Ingenieure in den Maschinen- und Kesselräumen wissen, was die Stunde geschlagen hat. Sie halten die Kesselräume 2 und 3 unter Dampf – vor allem deswegen, damit genug Energie für die Pumpen vorhanden ist, aber auch, damit die Beleuchtung des Schiffes nicht erlischt. Es wird so heiß wie in einem türkischen Dampfbad, denn um Elektrizität zu sparen, schalten sie die Ventilatoren aus.

Um 0 Uhr 10 finden sich auf dem obersten Deck, das wegen der Rettungsboote auch Bootsdeck genannt wird, die ersten Passagiere ein. Die meisten sind aus der 1. Klasse. Manche haben Abend-

55 bis 60 Grad Raumtemperatur, dichter Kohlenstaub in der Luft – die Arbeit an den Heizkesseln ist eine schweißtreibende, schlecht bezahlte Plackerei. Dennoch tun die Heizer genau wie die Musiker bis zur letzten Minute ihre Pflicht.

Eigentlich kann ich Jazzmusik nicht leiden.
Aber in der Nacht war ich froh, sie zu hören.
Diese Musik half uns allen sehr.

Charles Lightoller, 2. Offizier der *Titanic*

garderobe an, andere stehen in ihren Bademänteln da. Alle tragen
Rettungswesten. Obwohl sie mit eigenen Augen sehen können, dass
das Vorschiff bereits deutlich tiefer im Wasser liegt und die *Titanic*
Schlagseite nach Backbord hat, glaubt keiner, dass sein Leben in
Gefahr ist.

Um die Passagiere zu beruhigen und keine Panik aufkommen
zu lassen, fängt die Kapelle um 0 Uhr 15 in der 1. Klasse an, laute,
fröhliche Musik zu spielen. Ragtime. Die acht Musiker geben ihr
Bestes.

Technische Daten zur *Titanic*

Länge: 269,06 m; **Breite:** 28,19 m; **Höhe Kiel bis Schornsteinspitze:**
53,34 m
Bruttoregistertonnen: 46 328,54 BRT
Wasserverdrängung: 52 500 t (die Verdrängung entspricht dem
Gewicht der *Titanic*)
Maschinenleistung: 46 000 PS (ca. 33 800 KW)
Antrieb: zwei Vierfach-Expansions-Dampfmaschinen zu je 15 000 PS
(Außenschrauben), eine Niederdruckturbine zu ca. 16 000 PS (Mittel-
schraube)
Kohleverbrauch: ca. 650 t pro Tag
Reisegeschwindigkeit: ca. 21 Knoten (ca. 39 km/h)
Höchstgeschwindigkeit: ca. 24 Knoten (ca. 44,5 km/h)

Wer ist der Nächste?, schrie ich, und es gab keine Antwort.

5. Offizier Lowe

Das gelingt ihnen fast zu gut: Als der 2. Offizier Lightoller auf der Backbordseite und der 1. Offizier Murdoch auf der Steuerbordseite um 0 Uhr 30 mit der Beladung der 16 Rettungsboote beginnen wollen und Frauen und Kinder zu den schwenkbaren Kränen, an denen die Boote hängen, geführt werden, mag keiner der Passagiere die kippeligen Ruderboote besteigen, die inzwischen auf der Außenseite der Reling 18 Meter über dem Wasser baumeln. Keiner mag damit in die Tiefe fahren und sich in der finsteren Nacht auf dem schwarzen Ozean aussetzen lassen. Auf der *Titanic* fühlen sie sich weitaus sicherer als in diesen Nussschalen da draußen auf dem Meer. Das große Schiff ist hell erleuchtet. Und wenn die Kapelle noch spielt, kann es nicht so schlimm stehen!

Lightoller bedauert jetzt, dass die Besatzung kein einziges Rettungsmanöver geübt hat. Hätten sie die Rettungsboote doch bloß vorher einmal ausprobiert! Er weiß nicht einmal, ob die Boote auf dem langen Weg nach unten nicht auseinanderbrechen, wenn sie voll beladen sind.

Er sieht, dass der Bug bereits tief im Wasser liegt, geht aber davon aus, dass höchstens zwei Abteilungen vollgelaufen sind und dass die *Titanic* bald ihr Gleichgewicht wiederfinden wird. Aber schon bald kommen ihm Zweifel. Denn er behält eine schmale Nottreppe, die an der Außenwand des Schiffes bis hinauf aufs oberste Deck führt, im Blick und merkt sich, bis zu welcher Stufe das Wasser gestiegen ist. Ihm wird mulmig, als er beobachtet, wie rasend schnell das Wasser diese Treppe hochkriecht.

Während auf dem Bootsdeck die Rettungsmaßnahmen schon laufen, drängen sich die Passagiere der 3. Klasse noch durch das Labyrinth der Gänge, Koffer und Kisten in den Händen, die Kinder mit sich ziehend. Die Korridore sind kilometerlang. Viele Auswanderer

Während die 1.-Klasse-Passagiere bereits die wenigen Rettungsboote besetzen, suchen die Passagiere der 3. Klasse verzweifelt den Weg aufs Promenadendeck. Nur ein Besatzungsmitglied hilft ihnen. 49 Kinder der 3. Klasse sterben. Aus der 1. Klasse kommt nur ein Kind ums Leben.

können die englische Beschilderung nicht entziffern. Immer wieder geraten sie auf der Suche nach dem Deck mit den Rettungsbooten in eine Sackgasse, enden vor einer verschlossenen Tür. Einige schlagen sich auf eigene Faust durch. Ein einziger Steward lotst eine kleine Gruppe von Frauen und Kindern über Schleichwege aufs Bootsdeck. Ein Befehl, sich um die Menschen im Bauch des Schiffes zu kümmern, ist nicht erteilt worden. Sie sind sich selbst überlassen. Da es 3.-Klasse-Passagieren verboten ist, sich im Bereich der 1. Klasse aufzuhalten, versucht ein Matrose, die Tür, die vom Treppenhaus der 3. Klasse in die 1. Klasse führt, abzuschließen. Eine wütende Menge tritt die Tür ein, stürmt endlich an Deck.

Lightoller redet mit Engelszungen auf die Frauen ein, doch bitte die Boote zu besteigen.

Aber die meisten Frauen wollen bei ihren Männern bleiben. „Wir nehmen lieber gemeinsam ein späteres Boot", erklären sie dem Offizier.

Nur zögernd reichen ihm die ersten Damen die Hand. Lightoller behält einen Fuß auf Deck, den anderen stellt er ins Rettungsboot. Er ergreift die Damen am rechten Handgelenk und hilft ihnen sicher über die Reling. Er schärft den beiden Besatzungsmitgliedern, die das Boot rudern sollen, ein, auf das Schiff, dessen Positionslichter man von der *Titanic* aus gut sieht, zuzurudern. Dort seien sie in Sicherheit.

Das erste Rettungsboot, das schließlich um 0 Uhr 55 mithilfe der Schwenkkräne herabgelassen wird, ist nur mit 28 Personen besetzt, obwohl es 65 Menschen aufnehmen könnte. Mehr Passagiere finden sich nicht bereit einzusteigen. Wäre Lightoller vom Kapitän darüber informiert worden, wie ernst die Lage tatsächlich ist, hätte er sich einfach ein paar von den Ladys geschnappt und ins Boot geworfen.

Kapitän Smith steht mit dem Megafon in der Hand da und ruft immer wieder: „Frauen und Kinder zuerst", weshalb den Männern zunächst selbst dann der Zutritt zu den Rettungsbooten verwehrt wird, wenn sich keine weitere Frau findet. Charles Lightoller hält sich strikt an die Anweisung des Kapitäns und lässt nicht

Der Anblick des kalten grünen Wassers, das geisterhaft die Nottreppe hochkroch, prägte sich mir unauslöschlich ein. Stufe für Stufe stieg es höher und bedeckte ein Licht der elektrischen Treppenbeleuchtung nach dem anderen. Die Lichter leuchteten unter der Oberfläche auf irritierende, Angst machende Weise noch einige Momente weiter.

Charles Lightoller, 2. Offizier

einmal zu, dass John Jacob Astor seine schwangere Frau Madeleine begleitet. Er weist den Milliardär zurück. Auch die nächsten Boote werden kaum zur Hälfte voll. Um 1 Uhr 10 wird auf der Steuerbordseite Boot 1 mit nur zwölf Personen zu Wasser gelassen. Vierzig hätten Platz gehabt.

Das zögerliche Verhalten der Passagiere ändert sich erst, als das Vorschiff immer tiefer sinkt, als die Möbel in den Gesellschaftsräumen ins Rutschen geraten und regelmäßig Notfallraketen abgefeuert werden. Nun beeilen sich die Menschen, in die Boote zu kommen. Neben Boot 13 fängt eine massige Frau lauthals an zu heulen. „Ich will nicht ins Boot! Setzt mich nicht ins Boot! Ich war mein Lebtag noch nicht in einem offenen Boot", kreischt sie. Eine ältere Dame ist da mutiger. Aber weil sie etwas wackelig auf den Beinen ist, tritt sie mit dem Fuß genau zwischen Rettungsboot und Reling. Irgendjemand schafft es in allerletzter Sekunde, sie an den Beinen festzuhalten, kopfüber hängt sie an der Bordwand der *Titanic* nach

Oben: Leuchtraketen werden abgefeuert, Rettungsboote zu Wasser gelassen, das Schiff sinkt – das Szenenbild aus dem Film *Titanic* von James Cameron (1997) zeigt den Untergang des Ozeanriesen.
Rechts: Die Beiboote werden zu Wasser gelassen. Zum Größenvergleich rechts ein Haus

Titanic – ein großer Name

Der Name „Titanic" leitet sich von den Titanen ab, einem griechischen Göttergeschlecht. Sie sind die Kinder des Uranos (Himmel) und der Gaia (Erde). Der Titan Kronos wurde zum Vater des Gottes Zeus. Der Name „Titanic" wird als der protzigste Name angesehen, den je ein Schiff erhalten hat. Nach dem Untergang der *Titanic* wird ihr Schwesterschiff, das eigentlich den Namen „Gigantic" erhalten sollte, auf den bescheidener klingenden Namen *Britannic* getauft.

unten. Es gelingt, sie vor einem Sturz zu bewahren und schlussendlich doch noch sicher ins Boot zu setzen.

Auch eine junge Modedesignerin namens Edith Rosenbaum kann sich einfach nicht entschließen, ins Rettungsboot einzusteigen. Außer einer Luxuskabine für sich selbst hat sie noch eine weitere 1.-Klasse-Kabine nur für all die Kleider, die sie auf den Modenschauen in Paris erstanden hat, angemietet. Eine reiche, verwöhnte Lady, die sich gleich zwei Fuchsschwänze auf einmal umgelegt hat und jetzt ohne Strümpfe in ihren modischen Samtschühchen zit-

"A" DECK
70 feet above
the water

"B" DECK
From which many
of the women were
taken into the boats

ternd dasteht. Sie hat Angst. Auf dem Arm hält sie etwas fest umschlungen: ein ziemlich großes, fellbezogenes Glücksschwein, das Musik spielen kann, wenn man an seinem Ringelschwanz kurbelt. Ein extravagantes Spielzeug aus der Modestadt Paris. Sie hält sich daran fest, als hinge ihr Leben davon ab. Die Matrosen werden ungeduldig. Sie wollen das Boot herablassen. Aber die junge Dame will sich einfach nicht retten lassen. „Wenigstens ihr Baby soll mit dem Leben davonkommen!", ruft einer der Matrosen empört, denn er hält in der Dunkelheit das Schweinchen, das Edith Rosenbaum umschlungen hält, für ein Kind. Er reißt ihr das kleine Bündel blitzschnell aus dem Arm und reicht es einer Frau im Rettungsboot. Edith klettert wie von einer Schnur gezogen ihrem Schweinchen hinterher. So eine Gans!, denkt Lightoller, als er sieht, wie ungeschickt sie in ihren Samtschühchen über die Reling stolpert. Dann hat sie endlich ihren Platz eingenommen und das Boot wird abgefiert. Lightollers Meinung über Edith Rosenbaum und ihr Glücksschweinchen sollte sich später ändern. In der größten Not zeigten sich Schweinchen und Besitzerin von einer ganz anderen Seite.

Als das Boot auf dem Wasser angekommen ist, sieht Lightoller wieder einmal zu der schmalen Nottreppe hin. Das Wasser hat bereits das C-Deck erobert. Es hat die luxuriösen Möbel aus den Kabinen herausgeschwemmt. Stühle und Tische treiben umher, auch eine Kommode. Es wird ernst. Höchstens drei Rettungsboote sind noch übrig. Sie müssen so schnell wie möglich beladen werden, sollen sie noch Nutzen bringen. Drei Boote für 1500 Menschen.

Lightoller fragt sich in dem ganzen Gedränge mit wachsender Wut im Bauch, warum das Schiff, das man in zehn Meilen Entfernung deutlich sieht, nicht zu Hilfe kommt.

Am liebsten würde er mit einer Kanone auf das Schiff feuern, um den Schnarchsack von Kapitän wachzurütteln. Er mag nicht glauben, dass sich da drüben keiner bequemt, Hilfe zu leisten. Was sind das bloß für Menschen!

Der Kapitän der *Californian* verschläft die Chance, als Held und Lebensretter von 2208 Menschen in die Geschichte einzugehen.

In manchen Rettungsbooten ist die Stimmung so frostig wie die Temperatur. Die Frauen und Kinder werden meist von zwei Besatzungsmitgliedern begleitet. Darunter sind auch Stewards aus den Speisesälen, die sich mit Booten gar nicht auskennen. Sie haben gelernt, den 1.-Klasse-Passagieren die Wünsche von den Augen abzulesen, wie man rudert, wissen sie nicht. In Rettungsboot 8 rutscht einem Steward beim Rudern pausenlos das Ruder weg. Ratlos sieht

Um ein Haar wäre Rettungsboot 15 auf Rettungsboot 13 hinabgelassen worden. Durch das Schreien der Insassen wird in letzter Sekunde ein Unfall vermieden.

John Jacob Astor

John Jacob Astor IV. ist der reichste Passagier an Bord der *Titanic*. Neben seiner Tätigkeit als Geschäftsmann und Hotelbesitzer ist er Autor von Science-Fiction-Büchern und ein begabter Erfinder. Nach der skandalösen Scheidung von seiner ersten Frau heiratet der 47-jährige Astor 1911 die erst 18-jährige Madeleine Talmage Force. Das Paar befindet sich auf der Rückkehr von den Flitterwochen, Madeleine ist schwanger. Der Milliardär wird nach dem Untergang der *Titanic* tot aus dem eisigen Meer geborgen. Wahrscheinlich wurde er von einem der Schornsteine erschlagen, denn der Leichnam weist schwere Verletzungen auf und ist blutüberströmt.

er sich um und steckt sich hilflos erst einmal eine Zigarette an. Die Damen sind empört.

„Warum tun Sie es nicht in die Dolle?", fragt ihn Mrs White aus der 1. Klasse.

„Ach, da hinein?", fragt der Steward erstaunt. Den Frauen im Rettungsboot 8 wird angst und bange. Einer Frau wird vor lauter Aufregung schlecht, sie muss sich mehrere Male übergeben. Das

macht die Stimmung im Boot auch nicht gerade besser. Einer der Matrosen gibt einem Steward eine Anweisung. Dem Steward schmeckt das gar nicht. Barsch raunzt er zurück: „Wenn du nicht aufhörst, durch dieses Loch in deiner Visage zu quatschen, dann haben wir bald einen weniger an Bord." Bevor offener Streit ausbricht, schieben die Frauen von Boot Nummer 8 die Besatzung einfach beiseite und nehmen die Ruder selbst in die Hand. Sie legen sich mit aller Kraft in die Riemen und halten auf die Lichter der *Californian* zu. Ganz in der Nähe treiben riesige Eisberge vorüber, denen sie nur mit Mühe ausweichen können.

Obwohl sie aus Leibeskräften rudern, scheinen sie dem rettenden Schiff kaum näherzukommen. Handelt es sich am Ende um ein Geisterschiff, das da in der Ferne treibt?

4

Der Untergang

>>> **Als klar wird,** was die Stunde geschlagen hat, gibt es ergreifende Abschiedsszenen an Deck. „Um Himmels willen, sei tapfer und geh!", reden die Männer beschwörend auf ihre Frauen ein. Sie ermahnen die Kinder, gut auf die Mama zu hören. Helfen ihren Familien mit aufmunternden Worten an Bord des Rettungsbootes. Der letzte Blick in die Augen eines geliebten Menschen schmerzt bis ins Innerste. Auch Ida Straus, die Frau des reichen Kaufhausbesitzers Isidor Straus, hat Abschied von ihrem Mann genommen und ist dabei, Rettungsboot 8 zu besteigen. Aber dann überlegt sie es sich noch einmal anders. Sie geht zurück und sagt zu Isidor: „Wir haben so viele Jahre zusammengelebt, jetzt will ich auch dahin gehen, wohin du gehst." Die beiden nehmen sich an der Hand, setzen sich in die Deckstühle und werden inmitten der ganzen Aufregung um sie herum zusammen still.

Manche Männer der 1. Klasse geben sich auffallend gelassen, so als wollten sie aller Welt zeigen, wie sich ein Gentleman bei Schiffbruch verhält. Sie sitzen scheinbar völlig unbeeindruckt im Rauchsalon und ziehen an einer Zigarre. Ein Steward erzählt später, dass der reiche Kupferbaron Benjamin Guggenheim, nachdem er seine Geliebte zu den Rettungsbooten begleitet hat, in seine Kabine geht, seine Abendgarderobe anzieht, sich wieder an Deck begibt und jedem erklärt, der wissen möchte, wo seine Rettungsweste ist, dass er, wenn er schon untergehen müsse, dann wenigstens als Gentleman sterben wolle.

Um 1 Uhr 30 liegt der Bug so tief im Wasser, dass es schwer wird, sich bei dieser Schieflage auf dem Deck zu halten. Nicht alle Passagiere der 3. Klasse sind geweckt worden. Die vergessen worden sind, purzeln jetzt aus dem Bett. Erschrocken stellen sie fest, dass ihre Kabinen unter Wasser stehen. Wo

Isidor und Ida Straus, die Besitzer des Kaufhauses Macy's, sind Juden deutscher Abstammung. Das Paar hat sieben Kinder. Als man Isidor einen Platz im Rettungsboot anbietet, lehnt er ab. Seine Frau bleibt an seiner Seite.

sind nur all die anderen? Und was sollen die Schreie? Jetzt bricht unter Deck Panik aus.

Auf einmal steht Murdoch neben Lightoller. „Weißt du, wo die Handfeuerwaffen sind?", fragt er. Lightoller erstarrt. Wer weiß, zu was für Szenen es kommen mag, wenn die Menschen begreifen, dass nicht für jeden ein Platz in den Rettungsbooten vorhanden ist? Gemeinsam rennen sie zu dem Schrank, in dem Lightoller die Revolver und die Munition eingeschlossen hat. Der 1. Offizier nimmt die Waffen an sich, händigt auch Lightoller einen der niegelnagelneuen Revolver und eine Handvoll Kugeln aus. „Nimm sie. Vielleicht wirst du sie noch brauchen!", sagt er unbehaglich.

Wenig später ist es dann so weit. Harold Lowe, der 5. Offizier, sitzt in einem Boot, das gerade aufs Wasser abgefiert wird, als er über sich ein paar junge Männer entdeckt, die gerade dabei sind, über die Reling zu klettern. Sie haben tatsächlich vor, in das an einem Kran baumelnde, mit Frauen und Kindern voll besetzte Boot zu springen. Da zückt der Offizier seinen Revolver und schießt in die Luft. Die Männer weichen rechtzeitig zurück.

Auf einem der letzten Boote bringt sich schließlich auch Bruce Ismay in Sicherheit, der Chef der White Star Line. Er hat beim Beladen der Boote geholfen. Jetzt rettet er sein eigenes Leben. Um seinen Angestellten, die an Bord der *Titanic* bleiben müssen, nicht in die Augen sehen zu müssen, springt er erst ins Rettungsboot, als es schon auf dem Weg nach unten ist. Er macht sich auf seinem Sitz

Frauen und Kinder zuerst

Erst seit dem Untergang der *Birkenhead* im Jahr 1852 werden Frauen und Kinder vorrangig gerettet. Als das englische Schiff, das Soldaten und ihre Familien nach Südafrika bringen soll, vor Kapstadt auf ein Riff aufläuft und auseinanderbricht, sorgt Oberstleutnant Alexander Seton mit 400 Soldaten dafür, dass die 170 Frauen und Kinder zuerst die Rettungsboote besteigen können. Die meisten Männer gehen mit dem Schiff unter. Seither gilt das ungeschriebene Gesetz „Frauen und Kinder zuerst" für alle Schiffe.

Ich sah Leute an der Reling des Schiffes und sie starrten mehr oder weniger wie wilde Tiere, bereit zu springen. Daher brüllte ich und schoss.

Harold Godfrey Lowe, 5. Offizier der *Titanic*

zwischen all den Frauen und Kindern ganz klein. Soll später niemand sagen, er habe einem anderen den Platz weggenommen.

Und dann ist nur noch dieses eine Rettungsboot übrig: Notboot D. Es hängt an der Backbordseite an den Kränen. Lightoller befiehlt der Mannschaft, sich unterzuhaken und eine undurchdringliche Kette um das Boot zu bilden. Den Revolver hat Lightoller griffbereit in der Tasche stecken. Die Angst steigt, aber alle Passagiere verhalten sich diszipliniert.

44 Frauen und Kinder lässt Lightoller an Bord. Keinen Mann. Der 1. Offizier kommt zu Lightoller und sagt: „Steig ein, Lights!" Aber Lightoller sagt: „Nein!" Er wundert sich selbst darüber, dass er

 White Star Line

Die Reederei wird 1869 von Bruce Ismays Vater gegründet. Ihre Schiffsnamen enden häufig auf „ic": *Titanic, Britannic, Olympic, Oceanic, Adriatic, Baltic* usw. Alle Schiffe der Reederei wurden von der Werft Harland & Wolff, Belfast, gebaut. Unter der Leitung von Bruce Ismay setzt die Reederei bei ihren Schiffen auf Komfort, Schönheit und Luxus, nicht auf Geschwindigkeit. Die White Star Line existiert heute nicht mehr. 1934 schließt sie sich mit der Cunard Line zusammen. Zur Cunard Line gehört auch die *Carpathia,* die den Überlebenden der *Titanic* nach dem Unglück zu Hilfe eilt.

so klar ablehnt. Versteht es nicht, aber bleibt dabei. Und denkt, es ist richtig so. Um 2 Uhr 05 wird das Boot abgefiert.

Zwei kleine Faltbötchen gibt es noch, die man jetzt noch zur Rettung einsetzen könnte: Notboot A und Notboot B über den Offiziersquartieren neben dem Schornstein. Sie haben Seitenwände aus Leinen. Nur der Boden ist aus Holz. Aber sie schaffen es nicht, die Boote klarzumachen. Die *Titanic* steht bereits zu steil. Das eine Boot rutscht ihnen weg, landet ohne Menschen im Wasser, das andere kriegen sie erst gar nicht los. Lightoller weiß, dass er getan hat, was er tun konnte. Mehr Menschen kann er nicht retten. Sein Dienst ist jetzt beendet.

Im Funkraum morsen die Funker: „Wir sinken schnell!" und „Wir halten nicht mehr lange durch." Einige Schiffe haben immer noch nicht verstanden, wie ernst die Lage ist. „Sind schon viele Schiffe zur Stelle?", fragt der Funker der *Frankfurt*. „Steuert ihr nach Süden, uns entgegen?", will die *Olympic* wissen. „Wir sind dabei, die Frauen in die Rettungsboote zu bringen", morst Phillips zurück. Warum versteht ihn denn keiner!? Er drückt sich doch klar und verständlich aus! Erst als der Funker der *Frankfurt* fordert: „Bitte um mehr Einzelheiten!", reißt dem Funker der *Titanic* der Geduldsfaden. „Du Idiot!!!!", funkt er zurück.

Dass die Funker überhaupt noch funken können, liegt daran, dass die Maschinisten, die unten im Maschinenraum bis

Die letzte Nachricht von der *Titanic*: „Wir sinken schnell, Passagiere werden in die Boote gesetzt." Auf der zur Hilfe eilenden *Carpathia* wird die Heizung an Bord ausgeschaltet, um allen verfügbaren Dampf auf den Antrieb zu übertragen.

Die Band

Der Legende nach spielte die Band als letztes Lied den Choral „Näher mein Gott zu Dir". Andere Augenzeugen wie Lightoller sagen, das letzte Lied sei ein Ragtime namens *Autumn* gewesen. Dass die Band bis zum letzten Augenblick weiterspielte, ist eine der ergreifendsten Geschichten vom Untergang der *Titanic,* und die Musiker werden als mutige Helden gefeiert. Zur Beerdigung des Bandleaders Wallace Hartley, der tot geborgen werden konnte, kommen 40 000 Menschen. Keiner der Musiker überlebt die Katastrophe.

Das Orchester bestand aus acht Musikern, auf dem Bild fehlt der Cellist Roger Bricoux.
Erste Reihe: John Clarke (Bass-Violine) und Percy Taylor (Cello)
Mittlere Reihe: Georges Krins (Geige), der Bandleader Wallace Hartley und Theodore Brailey (Klavier)
Untere Reihe: John Hume (Erste Geige) und John Woodward (Cello)

zum Bauch im Wasser stehen, die Generatoren in Gang halten. Nur ihnen ist es zu verdanken, dass es noch Strom gibt und die Lichter noch brennen. Der letzte Funkspruch, den die Funker auf der *Titanic* erhalten, kommt von der *Carpathia*: „Kommen mit äußerster Kraft. Im Maschinenraum arbeiten zwei Schichten. Rettungsboote sind klargemacht." Um 2 Uhr 05 kommt Kapitän Smith in den Funkraum und entlässt die Funker aus ihrer Pflicht. „Sie können nichts mehr tun", sagt Smith, „kümmern Sie sich jetzt um sich selbst." Die Funker antworten der *Carpathia* nicht mehr. Sie sammeln ihre Papiere zusammen und eilen an Deck.

Auch zu den Heizern und den Offizieren sagt der Kapitän: „Jetzt ist sich jeder Mann der Nächste!" Über und über mit Kohlenstaub bedeckte Männer strömen aus den Kesselräumen hoch an Deck.

Der Kapitän begibt sich auf die Brücke und erwartet dort seinen Tod. Er trägt keine Schwimmweste. Es soll schnell gehen.

Die Funker und die übrigen Männer, die bis zu diesem Moment treu ihre Pflicht erfüllt haben, kommen zu spät. Die Rettungsboote sind längst fort. Das Wasser leckt schon an den Schornsteinen. Das Heck hat sich gehoben. Stetig wird es steiler. Es ist schwierig, sich an Deck zu halten. Die an Bord zurückgebliebenen Menschen sind seltsam ruhig geworden. Immer noch spielt die Musik. Die Musiker spielen auf ihrer eigenen Beerdigung. Sie wissen, dass es für sie keine Rettung geben wird, und suchen Halt in ihrer Musik. Und jeder, der die Musik hört, findet etwas Trost.

Es gibt nichts mehr, was man tun könnte. Nur noch abwarten. Die Menschen bereiten sich auf ihr Ende vor. Jeder auf seine Weise. Manche beten, andere rauchen, wieder andere machen einen völlig unbeteiligten Eindruck, als ginge sie das alles gar nichts an. Und die Musiker spielen einfach weiter. Solange sie noch aufrecht stehen können, werden sie nicht aufhören. Erst als ihnen die Instrumente aus der Hand fallen, verstummt ihre Musik.

Der Erbauer des Schiffes, Thomas Andrews, steht mit verschränkten Armen im Rauchsalon. Seine Schwimmweste hat er über einen Stuhl gelegt. Er hat beim Beladen der Rettungsboote geholfen, wo er nur konnte. Jetzt will er mit seinem Schiff untergehen. Einige Besatzungsmitglieder springen über Bord in die Tiefe. Einige Passagiere tun es ihnen nach.

Auch Lightoller ist jetzt nicht mehr 2. Offizier des größten Schiffes der Welt, er ist nur noch Mensch. Ein Mensch, der das Ende vor Augen hat. Ihn graust davor, inmitten der Menschenmasse zu sein, wenn alle im eiskalten Wasser um ihr Leben kämpfen. Wenn alle ohne Hoffnung auf Rettung verzweifelt um Hilfe schreien. Das Heck steht fast so steil wie eine Felswand. Direkt vor Lightoller versinkt gerade das Krähennest, der Ausguck, der normalerweise fast 30 Meter über dem Wasser steht. Es kommt zu einem gewaltigen Getöse, so als ob die Kessel im Kesselraum aus ihrer Verankerung gerissen würden. Der zweite Schornstein stößt einen Funkenregen aus. Jetzt oder nie! Mit einem entschlossenen Kopfsprung springt Lightoller ins schwarze Wasser.

Das eisige Wasser schmerzt auf der Haut, als würde er mit tausend Messern gestochen. Er wird sofort in die Tiefe gesogen, hin zu einem Entlüftungsgitter, klebt daran fest, strampelt mit den Beinen, weiß, dass er dabei ist zu ertrinken. Das Schiff sinkt. Lightoller ist kurz davor, das Bewusstsein zu verlieren. Und dann geschieht das

Bei der White-Star-Reederei war eine Jungfernfahrt ohne den beliebten Kapitän E. J. Smith undenkbar. In dem gleichen Maße, wie die Größe der Schiffe zunahm, wuchs auch seine Beliebtheit.

 Kapitän Smith

Edward J. Smith, geboren am 27. Januar 1850 in Hanley, arbeitet erst als Industriearbeiter, ehe er als Schiffsjunge zunächst auf Segelschiffen zur See fährt. Mit 34 Jahren heuert er bei der White Star Line an und wird noch im selben Jahr Kapitän. 1888 übernimmt er sein erstes Transatlanik-Kommando. Mindestens 250-mal überquert er den Nordatlantik. Im Laufe von 26 Dienstjahren bei der White Star Line kommandiert er 17 Schiffe, zuletzt die *Titanic*. E. J., wie ihn seine Freunde nannten, galt als besonders zuverlässig. Die Jungfernfahrt der *Titanic* sollte seine letzte Fahrt vor dem Ruhestand sein. Er hinterließ eine Frau und eine Tochter. 1914 enthüllte seine Tochter Helen Melville Smith in Lichfield (England) ein Denkmal, das in Lebensgröße an E. J. Smith erinnert. Für die englische Presse galt der Kapitän als Held, weil er bis zu seinem Tod auf der Brücke aushielt.

Mit eindrucksvoller Würde, allmählich immer schneller werdend, begab sie sich fast lautlos auf ihre letzte, traurige Fahrt an ihren ewigen Ruheplatz in den unergründlichen Tiefen des kalten, grauen Atlantiks.

Charles Lightoller

Unfassbare. Im Bauch der *Titanic* explodieren ein, vielleicht auch mehrere Kessel. Es kommt zu einem gewaltigen Luftausstoß und Charles Lightoller wird von der Entlüftungsanlage regelrecht aus dem düsteren, nassen Grab, das ihm bereits sicher war, herauskatapultiert. Er fliegt einige Meter durch die Luft, landet auf dem Wasser, ringt japsend nach Atem. Das Leben hat ihn wieder. Als er sich umblickt, entdeckt er direkt neben sich das eine Notboot, das ihnen vom Dach der Offiziersquartiere weggerutscht ist, das sie nicht mehr beladen konnten. Es schwimmt kieloben. Er klammert sich an ein Tau des Bootes und hält sich daran fest. Er erkennt die beiden Funker, Phillips und Bride. Auch sie kämpfen sich zum Notboot vor. Um sie herum ertrinken die ersten Menschen. Die gellenden Schreie der Sterbenden gehen dem 2. Offizier durch Mark und Bein.

Sie alle befinden sich in unmittelbarer Nähe des untergehenden Schiffes. Lightoller rechnet damit, dass der enorme Sog sie in

Die Überlebenden berichten, dass es kaum Sog gab, als die *Titanic* schließlich versinkt. Nur ein paar Wellen wurden ausgelöst.

wenigen Momenten alle in die Tiefe reißen wird. Als das Schiff fast senkrecht steht, bricht der zweite Schornstein. Er ist so groß, dass zwei Autos bequem nebeneinander hindurchfahren könnten. Mit einem weithin hörbaren Krachen landet er direkt neben Lightoller auf dem Wasser. Einige Männer werden von der gigantischen Stahlsäule erschlagen. Für Lightoller aber wird dieser Schornstein zum Segen. Denn er schleudert das Notboot und alle, die daran hängen, von der untergehenden *Titanic* weg. Wie durch ein Wunder sind sie nun weit genug entfernt, um nicht von dem Sog der Stahlmassen mitgerissen zu werden.

Die Männer versuchen, sich auf den Kiel des umgeschlagenen Bootes zu retten. Am ganzen Körper zitternd und mit fast unkontrollierbar klappernden Zähnen zieht sich auch Lightoller auf das Boot. Er bekommt kaum mit, wie der Untergang der *Titanic* vonstatten geht. Obwohl sich alles unmittelbar vor seinen Augen abspielt, sieht er nicht, dass zuerst der Bug des Schiffes untertaucht, die Schiffsbeleuchtung anfängt zu flackern und schließlich ganz erlischt. Das riesige Schiff bricht in zwei Teile auseinander. Der Bug taucht zuerst ab, verschwindet sachte in der Tiefe. Das Heck fällt noch einmal gerade aufs Wasser, läuft langsam voll Wasser und hebt sich dann erneut. Die an Bord zurückgebliebenen Menschen, die sich im hinteren Teil des Schiffes festgeklammert haben, stürzen einzeln, zu zweit oder in kleinen Grüppchen 60 Meter in die Tiefe. Ein paar Minuten verharrt das Heck in seiner aufrechten Stellung, dann verschwindet es langsam.

„Sie ist weg!", flüstert einer der Männer, der sich auf die Planken von Lightollers Boot gerettet hat, fast andächtig. Da erst blickt Lightoller auf und merkt, dass die *Titanic* verschwunden ist.

Es ist 2 Uhr 20. Zehn Meilen entfernt macht der wachhabende Offizier seinem Kapitän zum letzten Mal Meldung über das merkwürdige Passagierschiff, das ihm so viel Kopfzerbrechen bereitet hat. „Es ist weg, Sir!", meldet er dem Kapitän. „Man kann keine Lichter mehr sehen!" Gut so!, denkt der Kapitän der *Californian*. Sie müssen sich nicht mehr darum kümmern.

? Stanley Lord

Kapitän Stanley Lord von der *Californian* musste vor den Untersuchungsausschüssen in England und in den USA aussagen. Danach wurde er von seiner Reederei entlassen, weil ihm unterlassene Hilfeleistung vorgeworfen wurde. Er beteuerte Zeit seines Lebens seine Unschuld und behauptete, sein Schiff sei nicht dasjenige gewesen, dessen Lichter man von der *Titanic* aus sehen konnte. Er fand bei einer anderen Reederei wieder Arbeit, fühlte sich jedoch gebrandmarkt und kämpfte bis ans Ende seines Lebens darum, seinen guten Ruf wiederherzustellen.

Die Rettung

>>> **Als die _Titanic_** am 15. April 1912 um 2 Uhr 20 in die Tiefe sinkt, befinden sich Hunderte von Menschen im eisigen Wasser und rudern verzweifelt mit den Armen. Die Temperatur liegt weit unter dem Gefrierpunkt. Sie schreien um Hilfe. Fast eine Stunde dauert der Todeskampf.

In allen Rettungsbooten hört man die markerschütternden Schreie. Besonders die Frauen, deren Ehemänner an Bord der _Titanic_ zurückgeblieben sind, flehen darum, zur Unglücksstelle zu fahren. Aber die meisten Menschen in den zum Teil kaum halbvollen Booten haben Angst davor, dass die Ertrinkenden die Boote zum Kentern bringen. So harren sie lieber in hundert Metern Entfernung aus und unternehmen nichts. Manche der Menschen in den Rettungsbooten halten sich die Ohren zu, um die gellenden Hilferufe nicht hören zu müssen.

Überlebende der _Titanic_ bei einem Wiedersehen etwa vierzig Jahre nach dem Untergang. In der Mitte die Modejournalistin Edith Rosenbaum mit ihrem Glücksschwein.

Harold Godfrey Lowe, 5. Offizier auf der *Titanic*, ruderte als Einziger zurück zur Unglücksstelle. Er konnte noch vier Menschen lebend aus dem Wasser ziehen, einer davon starb wenig später.

Die Mütter in Boot 11 machen sich große Sorgen um ihre Kinder. Sie sollen nicht mitbekommen, was sich da draußen abspielt. Aber wie sollen sie vor ihren Kindern das große Sterben in unmittelbarer Nähe verbergen? Ihnen sitzt ja selbst die Angst im Nacken. Ihre Ehemänner sind irgendwo da draußen. Da erklingt auf einmal eine fröhliche Melodie in der Dunkelheit. Ein beschwingter brasilianischer Tanz, die Maxixe. Die Modedesignerin Edith Rosenbaum kurbelt am Schwänzchen ihres Glücksschweins aus Paris und die Kinder vergessen alles um sich herum. Jeder will das flauschige Schweinchen einmal halten. Edith Rosenbaum und ihr Glücksschwein schaffen es, dass keines der Kinder in diesem Boot Angst bekommt oder wegen der Kälte anfängt zu jammern. Keines der Kinder fragt nach seinem Vater. Das kleine Glücksschwein zieht alle Aufmerksamkeit auf sich.

Lediglich Boot Nummer 14 unter dem Kommando des 5. Offiziers Harold Lowe versucht, an der Unglücksstelle Menschen aufzunehmen. Aber zunächst traut auch er sich nicht, in das Menschengewirr an der Unglücksstelle hineinzurudern. So schrecklich es ist: Lowe muss warten, bis es weniger geworden sind. Doch als er nach 3 Uhr morgens zwischen den treibenden Trümmern ankommt, fast eine Stunde nach dem Untergang, kann er kaum noch etwas tun.

Charles Lightoller ist 38 Jahre alt, als die *Titanic* untergeht. Er ist äußerst beliebt bei der Mannschaft und gilt als fähiger Offizier.

 ## Charles Lightoller

Charles Lightoller, 1874 in der englischen Stadt Chorley, Lancashire, geboren, führte ein abenteuerliches Leben mit vielen Tiefschlägen, hatte oft aber auch geradezu unverschämtes Glück. Seine Mutter stirbt kurz nach der Geburt und sein Vater wandert mit seiner neuen Frau und ohne seine Kinder nach Neuseeland aus. Mit 13 geht „Lights", wie ihn alle seine Freunde nennen, zur See. Schon auf seinem zweiten Schiff erleidet er Schiffbruch. Schiffbruch, Feuer an Bord, die schwere Tropenkrankheit Malaria – Ligths überlebt alles. Außer der *Titanic*-Katastrophe überlebt er noch den Untergang der *Oceanic* und im 1. Weltkrieg den Untergang eines Kriegsschiffes, das unter seinem Kommando steht.

Vieles probiert Lightoller im Laufe seines Lebens aus: Er wird Hühnerfarmer, geht auf Goldsuche, arbeitet als Cowboy und Gastwirt. Schließlich kommt der Familienvater – seine Frau Sylvia und er haben fünf Kinder – durch Spekulationen mit Grundstücken zu Wohlstand. Daraufhin baut Lightoller eine kleine Schiffswerft in London auf. Er stirbt 1952 im Alter von 78 Jahren an einem Herzleiden.

Er fischt einen Mann auf, der sich an eine Tür geklammert über Wasser gehalten hat. Nur noch zwei weiteren Menschen rettet er das Leben. Kreuz und quer rudert er in der finsteren Nacht umher und sucht nach weiteren Schiffbrüchigen. Schließlich muss er sich traurig eingestehen: Er ist zu spät gekommen. Eine grausige Stille liegt über der Stelle, an der die *Titanic* unterging.

Lightoller hat keine Möglichkeit, den Ertrinkenden zu Hilfe zu kommen. Er ist zu weit weg. Darüber hinaus ist sein umgedrehtes Boot manövrierunfähig, Sie haben keine Ruder.

Etwas mehr als 30 Männer haben sich mittlerweile auf das kieloben treibende Boot gerettet. Klatschnass stehen sie auf den rutschigen Planken und geben sich gegenseitig Halt und Wärme. Doch nicht alle schaffen es, sich auf dem Boot zu halten. Inzwischen ist Seegang aufgekommen. Im Laufe der Nacht geschieht es mehrmals, dass einer den Halt verliert und ins Wasser rutscht. Es gibt nichts, was die anderen für ihn tun könnten. Auch die beiden Funker haben sich auf das Boot gerettet. So weiß Lightoller, welche Schiffe sich zu ihrer Rettung auf den Weg gemacht haben. „Beim ersten Tageslicht ist die *Carpathia* hier!", wiederholt Lightoller immer wieder, um Hoffnung zu verbreiten. Aber er weiß, dass ihrer aller Leben an einem seidenen Fädchen hängt. Das umgekippte Boot sinkt immer tiefer. Das bitterkalte Wasser schwappt über den Kiel. Die Füße der Männer stehen tief im Wasser. Eine falsche Bewegung und sie kentern. Die unterkühlten Männer zittern wie Espenlaub. Angestrengt hält Lightoller nach der *Carpathia* Ausschau. Im ersten Dämmerlicht entdeckt er sie endlich. Sie ist noch meilenweit entfernt. Es kann noch eine Ewigkeit dauern, bis das Schiff da ist. Die Rettung kommt zu spät. Ihr Boot ist kurz davor, unterzugehen.

Wieder verliert ein Mann neben ihm das Bewusstsein. Es ist Phillips – der ältere der beiden Funker. Er ist am Ende seiner Kraft. Sie haben so lange durchgehalten. Soll das alles umsonst gewesen sein!? Lightoller hält den Mann fest, damit er nicht ins Wasser rutscht. „Halt durch!", murmelt er gleichermaßen zu dem Funker wie zu sich

Die Rettungsboote fahren nach etwa sechs Stunden Fahrt auf dem eisigen Meer im ersten Morgenlicht auf die *Carpathia* zu. Sie werden von der Besatzung und den Passagieren mit rührender Anteilnahme versorgt. Im Bild sind Boot 14 und Boot D zu sehen. Hinten rechts stehend ist Lowe.

selbst. Verzweifelt blickt Lightoller sich um. Ein Wunder muss jetzt geschehen. Und zwar sofort! Da entdeckt er in der Ferne Rettungsboote von der *Titanic* auf dem Wasser. Der 5. Offizier Lowe hat dafür gesorgt, dass die Rettungsboote, die ihm während der Nacht bei der Suche nach Ertrinkenden begegnet sind, zusammenbleiben. Mit Tauen hat er Boot 4, 10, 12 und Notboot D aneinandergebunden. Etwa 700 Meter sind die Boote entfernt. Lightoller zieht seine Offizierspfeife aus der Tasche und macht die Menschen in der Bootskette auf sich aufmerksam. Gellend gehen die Pfiffe übers Meer. Und tatsächlich – sie werden bemerkt. Die Boote rudern herbei. Buchstäblich in letzter Minute können sich die Männer auf dem kieloben schwimmenden Boot in Sicherheit bringen. Lightoller ist der Letzte, der das sinkende Notboot verlässt. Den ohnmächtigen Funker hat er bereits in Boot Nummer 12 untergebracht. Aber Phillips erlangt das Bewusstsein nicht wieder zurück. Er stirbt an Unterkühlung und Erschöpfung in Lightollers Armen.

Es ist 6 Uhr 30, als alle Rettungsboote gemeinsam auf die *Carpathia* zurudern. Zwei Stunden später geht Lightoller an Bord des Schiffes, wo sich Passagiere und Mannschaft rührend um die Schiffbrüchigen bemühen. Um 8 Uhr 50 gibt die *Carpathia* die weitere Suche nach Überlebenden auf und dampft mit 712 Geretteten in Richtung New York. Dagegen steht die erschreckend hohe Zahl von 1496 Menschen, die ihr Leben in dieser Nacht verloren haben.

> **Dass die meisten von uns noch aufrecht standen, als der Morgen dämmerte, ist der Beweis dafür, dass es so lange Leben geben wird, so lange auch die Hoffnung noch nicht gestorben ist.**
> Charles Lightoller

Der Chef der White Star Line, Ismay, telegrafiert an sein New Yorker Büro: „Teile mit tiefem Bedauern mit, dass *Titanic* heute nach Zusammenstoß mit Eisberg gesunken; schwere Verluste. Alle Einzelheiten später." Danach erleidet er an Bord der *Carpathia* einen schweren Nervenzusammenbruch.

Das Telegramm löst weltweit große Bestürzung aus. Mit der *Titanic* sind viele berühmte, hoch geachtete Menschen untergegangen. Die Anteilnahme an diesem Unglück ist beispiellos.

Als die *Carpathia* drei Tage später New York erreicht, stehen 30 000 Menschen in strömendem Regen am Pier, um die Überlebenden zu empfangen. Zahlreiche Boote mit aufgeregt schreienden und unentwegt fotografierenden Journalisten an Bord verfolgen den Dampfer im Hafen bis zu seiner Anlegestelle. Wochenlang beherrscht der Untergang der *Titanic* die Schlagzeilen. Alle fragen sich, wie es überhaupt zu der Katastrophe auf dem als unsinkbar geltenden Ozeanriesen kommen konnte.

Bereits zwei Tage nach der Ankunft führt der amerikanische Senat eine Untersuchung durch. Wer trägt die Schuld am Untergang? Wie hätte die Katastrophe vermieden werden können? Was für Lehren kann man aus dem Geschehen ziehen? Lightoller muss

Als die Katastrophe an Land bekannt wird, werden überall die Fahnen auf Halbmast gesetzt. In Southampton, wo viele Besatzungsmitglieder herstammen, trauern in einer Straße gleich zwanzig Familien um ihre Angehörigen. Dieses berühmte Foto zeigt einen jungen Zeitungsverkäufer in London.

Teile mit tiefem Bedauern mit, dass *Titanic* heute nach Zusammenstoß mit Eisberg gesunken; schwere Verluste. Alle Einzelheiten später.

Bruce Ismay in einem Telegramm an das Büro der White Star Line in New York

TITANIC DISASTER GREAT LOSS OF LIFE
EVENING NEWS

Auf dem Familienwappen von Bruce Ismay steht sinngemäß der Spruch „Sei anderen gegenüber stets aufmerksam". Während der Katastrophe handelt Bruce Ismay ganz anders.

als ranghöchster überlebender Offizier 1600 bohrende Fragen über sich ergehen lassen.

Er ist während des Prozesses gottfroh, dass ihm niemand Feigheit vorwerfen kann. Beim besten Willen nicht. Ihm tut Bruce Ismay leid, dem in der breiten Öffentlichkeit kein Mensch verzeiht, dass er auf einem Rettungsboot versteckt zwischen Kindern und Frauen mit dem Leben davongekommen ist, während seine Passagiere und seine Crew sterben mussten.

Die Schuld am Untergang kann die Untersuchungskommission am Ende niemandem zuweisen, auch nicht dem Kapitän. Alle Beteiligten des Dramas haben sich an die geltenden Regeln der Seefahrt gehalten. Jetzt führt das Unglück dazu, dass diese Regeln überall auf der Welt geändert werden und die Seefahrt für Mannschaft und Passagiere sicherer wird. Ab sofort gibt es auf jedem Schiff der Welt ausreichend Rettungsboote für alle Menschen, die sich an Bord befinden. Funkstationen müssen auf allen Schiffen rund um die Uhr besetzt sein. Der Untergang zieht auch die Errichtung einer internationalen Eispatrouille nach sich, die vor gefährlichen Eisbergen auf den Schifffahrtswegen warnt. Und es kommt zu der Einberufung der ersten internationalen Konferenz zum Schutz des menschlichen Lebens auf See.

Die ergriffenen Maßnahmen retteten ohne Zweifel seit jener verhängnisvollen Nacht Tausenden von Seeleuten und Passagieren das Leben. Für die Menschen, die mit der *Titanic* untergingen, kommen sie zu spät. Dennoch: Sie sind so zumindest nicht umsonst gestorben.

6

Die Suche nach dem Wrack

> > > Seit dem Untergang der *Titanic* sind hundert Jahre vergangen. In dieser Zeit hat es zahlreiche Schiffsunglücke mit noch höheren Opferzahlen als auf der *Titanic* gegeben.

Dennoch ist der Untergang der *Titanic* bis heute das berühmteste Schiffsunglück. Die Geschichten, die man sich von dem Untergang erzählte, wurden zur Legende. Die *Titanic* übt auf viele Menschen eine ungeheuere Faszination aus. Sie gilt als das schönste Schiff ihrer Zeit, unübertroffen an Eleganz und verschwenderischem Luxus.

So ist es nicht verwunderlich, dass immer wieder Menschen darüber nachdachten, ob und wie man die *Titanic* wohl finden könnte. Was war mit den Tresoren, in denen die Wertsachen der damals reichsten Menschen der Welt transportiert worden waren? Auf viele Millionen Dollar wird allein der Schmuck geschätzt, der mit dem Schiff versank. Das Interesse bei Wissenschaftlern und Abenteurern, aber auch bei einigen Angehörigen von Opfern der Katastrophe ist immens.

Schiffs-katastrophen

Der Untergang der *Wilhelm Gustloff* am 30. Januar 1945 ist bislang das schlimmste Schiffsunglück aller Zeiten: Das deutsche Flüchtlingsschiff wird in der Danziger Bucht von einem sowjetischen U-Boot torpediert und sinkt. Über 9000 Menschen kommen ums Leben. Das schwerste Schiffsunglück in Friedenszeiten ereignet sich im Dezember 1987. Bei der Kollision zwischen der philippinischen Fähre *Dona Paz* und einem Tanker südlich von Manila werden 4386 Menschen getötet.

Robert Ballard gewinnt als Geldgeber für die teure *Titanic*-Expedition das amerikanische Militär. Als Gegenleistung muss er mit seinem Tauchroboter in geheimer Mission nach zwei verunglückten U-Booten der Marine suchen.

Links: Schätzungsweise drei Millionen Schiffe sind in den letzten 4000 Jahren auf den Grund der Ozeane gesunken. Jedes einzelne erzählt den Wracktauchern eine spannende Geschichte. Meist ist menschliches Versagen für den Untergang verantwortlich.

? Robert Ballard

Der 1942 in Kalifornien geborene Meeresbiologe Robert Ballard wird durch den Fund der *Titanic* zum bekanntesten Meeresforscher der Welt. Im Laufe seiner langen, erfolgreichen Karriere unternimmt er etwa 120 Expeditionen in die Tiefsee. Außer der *Titanic* entdeckt er zahlreiche weitere Wracks, darunter das deutsche Kriegsschiff *Bismarck* und eines der ältesten Wracks, die jemals gefunden wurden: ein phönizisches Schiff aus dem 7. Jahrhundert v. Chr. Sein größter Traum ist, eines Tages die Arche Noah zu finden. Robert Ballard vermittelt Kindern und Jugendlichen über ein Fernlernprogramm Wissen über die Tiefsee. 1,7 Millionen Schüler in den USA nehmen an dem Programm teil und staunen z. B. darüber, dass es im Meer 400 Grad heiße Quellen – Black Smokers genannt – gibt, die Robert Ballard während einer Expedition im Gebiet der Galapagos-Inseln entdeckte.

Aber jahrzehntelang scheitern alle Pläne, das Wrack aufzuspüren, da sie technisch einfach nicht machbar sind. Etwa 1980 hat man dann geeignete Suchtechnologien entwickelt, mit deren Hilfe man die *Titanic* finden könnte. Aber es gibt weitere Hindernisse: Die *Titanic* versank 1912 im Nordatlantik in einem Tiefseegraben mit vielen Nebentälern, Titanic-Graben genannt. Genau in diesem Gebiet gab es 1929 ein Unterwasser-Erdbeben, das nicht nur zahlreiche Transatlantikkabel zerstörte, sondern auch eine gigantische Schlammlawine in den Titanic-Graben gespült hat.

Viele Tiefseeforscher halten es für möglich, dass die *Titanic* unauffindbar tief im Graben unter Schlammmassen begraben liegt. Man wird sie vielleicht eines Tages mithilfe eines Hochleistungsecholotes orten können, aber nie wieder zu Gesicht bekommen.

Ein junger Meeresbiologe namens Robert Ballard beschließt – allen Zweifeln und allen Schwierigkeiten zum Trotz – ein Team zusammenzustellen und nach der *Titanic* zu suchen.

Ballard interessiert sich schon als Kind für alles, was die Tiefsee betrifft. Die Unterwasserlandschaften faszinieren ihn genauso wie die Kreaturen der Tiefe. Versunkene Städte ziehen ihn ebenso in Bann wie untergegangene Wracks. Ballard arbeitet in seinem gesamten Berufsleben an der Entwicklung von Tauchbooten und optischen Geräten, mit denen man den Meeresboden in großer Tiefe sehen und erforschen kann. In seinem Büro im Forschungsinstitut stapeln sich Kisten und Kästen mit atemberaubenden Fotos und Dias der Unterwasserwelt.

Die bemannte *Nautile*, die hier zu Wasser gelassen wird, kann in bis zu 6000 Meter Tiefe tauchen. Damit kann sie 97 % des Meeresbodens erkunden. Fünf Stunden kann das Tauchboot am Meeresboden im Einsatz sein.

IFREMER

IFREMER (die Abkürzung steht für *Institut français de recherche pour l'exploitation de la mer*) ist das Meeresforschungsinstitut Frankreichs. Zu seinen Aufgaben gehört auch die Entwicklung von Geräten, mit deren Hilfe man die Unterwasserwelt erforschen kann: die Beschaffenheit des Meeresbodens, aber auch die Pflanzen- und Tierwelt. Mithilfe des von IFREMER entwickelten Tauchbootes *Nautile* kann man ebenso gut Steinproben vom Meeresboden nehmen wie Gegenstände aus dem Trümmerfeld der *Titanic* bergen.

Die Forscher des Instituts erheben mithilfe der entwickelten Geräte Daten und werten sie aus. Sie beobachten u. a. die Auswirkungen des Klimawandels auf die Ozeane, sammeln Informationen über die Küsten und überprüfen die Wasserqualität der Meere. Die Arbeit des Instituts hilft auch, die Rolle der Ozeane für das Klima besser zu verstehen. Eine weitere wichtige Aufgabe ist die wirtschaftliche Nutzbarmachung der Meere z. B. durch den Fischfang. Der Umweltschutz ist für IFREMER dabei von besonderer Bedeutung.

Schon seit vielen Jahren träumt Ballard davon, die *Titanic* zu entdecken. Er ist kein Abenteurer. Ihn reizt vor allem der Einsatz von neuartigen Technologien, an deren Entwicklung er seit Jahren mitarbeitet. 1983 gelingt es Ballard, die amerikanische Marine dafür zu gewinnen, seine Suche nach der *Titanic* zu unterstützen. Im Gegenzug muss er allerdings während der Expedition in geheimer Mission nach zwei gesunkenen Atom-U-Booten suchen. Die Suche nach der *Titanic* ist die perfekte Tarnung für die Navy. Und er findet noch einen weiteren starken Partner: das französische staatliche Meeresforschungsinstitut IFREMER, mit dem er schon früher zusammen Forschung betrieben hat.

Die französischen Partner von IFREMER sind dabei, ein extrem leistungsfähiges Sonargerät zu entwickeln, mit dem man große Objekte auf dem Meeresboden mittels Schallwellen aufspürt. Der Plan sieht vor, dass die Suche nach der *Titanic* zunächst mithilfe des französischen Sonargerätes erfolgt. Sobald das Sonargerät die *Titanic* aufgespürt hat, wird das berühmte Wrack mithilfe von Robert Ballards optischen Geräten *Argo* und *Angus* gefilmt. Das Wrack zu finden stellen sie sich dabei noch relativ einfach vor, es zu fotografieren wird sie vor die größere Herausforderung stellen, glauben sie. Sie denken zu keinem Zeitpunkt daran, das Wrack zu heben. Nur Bilder wollen sie aus der Tiefe holen.

Dem amerikanischen Expeditionsleiter Robert Ballard wird von der französischen Seite ein geradezu idealer Ko-Expeditionsleiter zur Seite gestellt: Jean-Louis Michel. Ein geradliniger Ingenieur, der dabei ist, das Sonargerät zu entwickeln, mit dem in den ersten Wochen gearbeitet werden soll. Ein Mann mit konkurrenzlos großer Erfahrung in der Tiefseeforschung. Bereits kurz nach seinem Ingenieurstudium gehörte er zu dem Team, dass den Bathyskaph *Archimède* entwickelt hat, ein Tauchboot, das eine Tonne Gewicht transportieren und im Tieftauchgang auf 10 000 Meter Meerestiefe hinabsinken kann. 25 Jahre arbeitet er als Ingenieur bereits daran, Geräte zu entwickeln, mit denen man genaue Karten vom Meeresboden mit all seinen Schluchten und Erhebungen erstellen kann.

Jean-Louis hat als Jugendlicher einen Film über den Untergang der *Titanic* gesehen. Unauslöschlich hat sich ihm die Szene eingeprägt, bei der die Musiker für die Menschen spielen, während das Schiff bereits sinkt. Wie jeder andere im Expeditionsteam findet er es natürlich spannend, sich auf die Suche nach dem berühmten Wrack zu machen. Aber der überaus genaue, sehr methodisch denkende Ingenieur sieht den Sinn und Zweck der Expedition vor allem in der Erprobung und Verbesserung der neu entwickelten Technik, die der Erforschung der Meere dienen soll.

Jean-Louis Michel im französischen Meeresforschungsinstitut IFREMER. In der Hand hält er ein Werkzeug, das es der *Nautile* erlaubt, Wasserproben zu entnehmen.

 Jean-Louis Michel

Jean-Louis Michel, 1945 in Algier geboren, wuchs in einem kleinen Ort am Mittelmeer in Algerien auf. Das Meer fasziniert ihn schon als kleiner Junge, und bis heute kann er besser tauchen als schwimmen. Direkt nach seinem Ingenieurstudium in Lille beteiligt er sich an der Entwicklung des Bathyscaphs *Archimède,* einer druckfesten Tauchkugel, mit der man über 10 000 Meter tief tauchen kann. Für das Meeresforschungsinstitut IFREMER entwickelt er zahlreiche Geräte zur Erforschung der Meere. Jean-Louis Michel beteiligte sich an mehreren spektakulären Expeditionen, z. B. der Suche nach zwei verunglückten französischen U-Booten. 1981 verbringt er ein Forschungsjahr in Amerika am Wood-Hole-Meeresforschungsinstitut in Massachusetts, wo er gemeinsam mit Robert Ballard an optischen Geräten zur Erkundung des Meeresbodens tüftelt. 1985 begeben sich Ballard und Michel auf die gemeinsame Suche nach der *Titanic.* Jean-Louis Michels Hauptanliegen ist heute der Schutz des Mittelmeeres. Er lebt mit seiner Frau in Südfrankreich. Sie haben drei Kinder und drei Enkelkinder.

Im Vorfeld der Expedition geht es zunächst darum, das Suchgebiet im Atlantik einzugrenzen. Dem Franzosen fällt die Aufgabe zu, exakt zu rekonstruieren, auf welcher Position genau die *Titanic* sank. Am Scheitern aller vorherigen Suchexpeditionen kann man erkennen, dass dies nicht so leicht ist, wie man denkt.

Zum einen liegt das daran, dass die Position eines Schiffes im Jahr 1912 noch

nicht wie heute mithilfe von Satelliten bestimmt wurde, sondern durch die Berechnung der Sterne. Jede Positionsangabe aus früherer Zeit birgt ein gewisses Maß an Ungenauigkeit. Jean-Louis findet während seiner Recherche überraschend heraus, dass die im offiziellen Notruf angegebene letzte Position der *Titanic* nicht nur ungenau, sondern von dem Navigator des Schiffes schlicht und ergreifend falsch berechnet wurde.

Eine wichtige Quelle der Information zur Positionsbestimmung wäre das Logbuch der *Titanic* gewesen, doch es wurde nicht geborgen. Es ist üblich, dass das Logbuch eines Schiffes in Seenot dem ersten Rettungsboot anvertraut wird, denn in diesem wichtigen Dokument stehen alle Informationen über die Fahrt eines Schiffes. Auch die letzte Position der *Titanic* vor ihrem Untergang ist sicher im Logbuch eingetragen worden. Doch das Geheimnis, was mit dem Logbuch der *Titanic* geschehen ist, hat sich nie ergründen lassen. Jean-Louis Michel bleibt nichts anderes übrig, als alle bekannten Daten mit den Eintragungen in den Logbüchern der *Carpathia*, der *Californian* und der weiteren Schiffe, die sich in der Nähe der Unglückstelle befanden, zu vergleichen und auch alle greifbaren Informationen über die Strömungsverhältnisse, die am 14. April 1912

Obwohl die Tiefsee den größten Teil unseres Planeten einnimmt, ist über sie weniger bekannt als über die Oberfläche des Mondes. Das SAR soll helfen, Landkarten des Meeresbodens zu erstellen.

50

Eine Darstellung des Titanic-Grabens

herrschten, heranzuziehen. Wo mag das Schiff ungefähr gesunken sein? Und wohin wurde es abgetrieben? Die von Südosten kommende *Carpathia* ist sehr viel früher auf die Rettungsboote mit den Überlebenden gestoßen, als die zuletzt angegebene Position der *Titanic* hätte erwarten lassen. Sicher ist also, dass sie mit ihrer Suche an einer ganz anderen Stelle ansetzen müssen, als bislang bei allen Suchexpeditionen geschehen. Schließlich legt Jean-Louis ein Suchgebiet fest, das zehn Meilen südöstlich von der Stelle liegt, die im Notruf genannt wurde.

In den zwei Jahren der Vorbereitungszeit arbeitet Jean-Louis Michel zudem fieberhaft an der Entwicklung seines Sonargerätes, des SAR.

Am 5. Juli 1985 ist es dann so weit. Die Franzosen erreichen mit ihrem Schiff *Le Suroît* das von Jean-Louis Michel errechnete 100 Quadratmeilen große Zielgebiet. Die erste Phase der Suchexpedition, die Suche mit dem SAR, beginnt. Jean-Louis ist äußerst gespannt, ob sein Gerät bei dem zerfurchten Untergrund im Titanic-Graben hält, was er sich von ihm verspricht. Das SAR sieht aus wie ein roter Torpedo. Es wird 3500 Meter unter dem Schiff in etwa 180 Meter Höhe über dem Meeresboden geschleppt. Das Kabel an Bord der *Le Suroît* hat eine Länge von 4000 Metern. Das ganze SAR-System hat ein Gewicht von 55 Tonnen.

Um exakte Informationen über ein mögliches Wrack auf dem Meeresboden zu erhalten, müssen sie mit dem Schiff das Suchgebiet engmaschig abfahren, und zwar auf eine Art und Weise, die man mit dem Rasenmähen vergleichen kann. Hin und her, her und hin, und bloß keine der etwa 760 Meter breiten, 10 Meilen langen Bahnen, die das Sonargerät ausloten kann, auslassen.

Zu Beginn gibt es eine Panne nach der anderen. Darauf ist Jean-Louis eingestellt. Schließlich arbeiten sie mit einer neuen Technik. Schwierigkeiten in der Anfangsphase gehören immer dazu. Es ist harte Arbeit, bis alles eingespielt ist. Immer wieder ziehen sie das SAR aus dreieinhalb Kilometern Tiefe zurück aufs Boot, um einen Fehler zu beheben. Nachdem es wieder in die Tiefe herabgelassen wurde, müssen sie es kurze Zeit später erneut hochholen, weil die Technik wieder streikt. Sie spielen mit dem 2,4 Tonnen schweren Apparat Jo-Jo. Aber mit der Zeit funktioniert das SAR zuverlässig und liefert exakte Daten des Meeresbodens.

Die Forscher erhalten erstaunlich scharfe Bilder, die wie Schwarz-Weiß-Fotos des Meeresbodens aussehen. Damit ist für Jean-Louis ein wichtiges Expeditionsziel bereits erreicht. Das Material, das sie erhalten, übertrifft alle Erwartungen. Es wird die Erforschung des Meeresbodens einen großen Schritt voranbringen.

Die Suche ist aber alles andere als eine Spazierfahrt. Sie ist körperlich anstrengend und nervenaufreibend. Viel Schlaf bekommt Jean-Louis auf der *Le Suroît* nicht. Seine größte Sorge ist, dass zu viel Spannung auf das Kabel ausgeübt wird. Wenn es reißt, verlieren sie ihr „Baby" und die Suche ist vorbei. Abgesehen von dem Verlust des Gerätes geht von einem Kabel, das unter Spannung reißt, große Gefahr aus. Wer dann in der Nähe steht, kann im wahrsten Sinne des Wortes den Kopf verlieren. Sie müssen daher während der Suche äußerst langsam vorgehen.

Ein weiteres Problem besteht darin, dass die Strömung im Suchgebiet ungeheuer stark ist. Es ist fast unmöglich, das SAR auf gerader Bahn hinter dem Schiff herzuziehen. Sie werden immer wieder von ihrer geplanten Route weggetrieben und müssen konzentriert daran arbeiten, wieder genau an den Ausgangspunkt zurückzukeh-

Immer wieder wird das Forschungsschiff von der Strömung abgetrieben. Bei starkem Seegang ist es fast unmöglich, den Kurs zu halten.

● ● ● **Die *Titanic*-Expedition von 1985 erwies sich als ständiger Kampf gegen die Zeit und gegen die Natur.**
Robert Ballard

ren und von dort aus weiter den Kurs zu halten. Denn bei jedem Abtreiben laufen sie Gefahr, dass sie das Wrack übersehen. Jean-Louis muss sicher sein, dass er wirklich jeden einzelnen Quadratmeter des Suchgebietes erfasst hat. Der französische Ingenieur stellt sehr hohe Ansprüche an sich selbst und an die Qualität seiner Arbeit. Seine Geduld wird auf eine harte Probe gestellt. Er bleibt jedoch diszipliniert und weicht – selbst als ein schwerer Sturm ihre Arbeit für Tage lahmlegt – nicht einen Zentimeter von seinem Suchplan ab. Drei Wochen haben sie Zeit für die Arbeit mit dem SAR. Danach soll mit Ballards Technik auf dem Schiff der Amerikaner weitergesucht werden.

Die erste Woche mit dem SAR und mit Arbeitsschichten rund um die Uhr geht ins Land, ohne dass sie die *Titanic* finden, dann eine zweite und schließlich ist auch die dritte Woche vorbei. Das Ergebnis ihrer unendlichen Mühen? Sie haben herausgefunden, wo die *Titanic* nicht ist. Es ist nicht leicht, mit diesem Ergebnis zufrieden zu sein. Schließlich sind sie ausgezogen, um das Wrack zu finden! Jean-Louis hat Mühe, sich seine Enttäuschung nicht anmerken zu lassen, als die *Le Suroît* mit dem SAR an Bord am 8. August unverrichteter Dinge die Heimreise antritt.

Sie haben 70 Prozent des Suchgebietes abgegrast. Er ist sich sicher, dass die *Titanic* in diesem Bereich nicht liegt. Liegt sie in dem restlichen Bereich, den sie wegen der knappen Zeit nicht abfahren konnten? Oder liegt sie ganz woanders?

Am 12. August besteigt Jean-Louis Michel gemeinsam mit Robert Ballard das amerikanische Forschungsschiff *Knorr*, mit dem die zweite Phase der Suche erfolgen soll. Er denkt, dass seine Hauptaufgabe erledigt ist, jetzt, da er das SAR nicht mehr steuern muss. Die große Stunde des französischen Ingenieurs soll jedoch noch kommen. Aber das ahnt zu diesem Zeitpunkt noch keiner.

Von der Heckplattform der *Le Suroît* wird das SAR, ein Tiefensonargerät, zu Wasser gelassen. Zusätzlich zieht das Forschungsschiff noch ein Magnetometer hinter sich her, das das Magnetfeld bestimmt.

7

Der Fund

▶ ▶ ▶ **Mit dem Einsatz** des amerikanischen Forschungs-schiffs *Knorr* erfolgt eine Änderung der Suchstrategie. Sie suchen jetzt nicht mehr nach dem Schiff, sie suchen nach dem Trümmer-feld, das zwangsläufig entsteht, wenn ein Schiff untergeht und dabei zerbricht. Die Teile, die aus dem Schiff herausbrechen oder -fallen, sinken langsam hinunter zum Meeresboden und bilden dabei so etwas wie einen langen Kometenschweif aus Trümmern. Schwere Gegenstände sinken eher senkrecht und liegen in der Nähe des Schiffes, leichtere Gegenstände trei-ben mit der Strömung ab. Mit Ballards neu entwi-ckelten optischen Geräten, die nun zum Einsatz kommen sollen, kann man gut nach kleinen Ge-genständen suchen.

Ihnen bleiben zwölf Tage für die Suche. Als der unbemannte Kameraschlitten *Argo* zum ers-ten Mal ins Wasser gelassen wird, steigt die Span-nung an Bord. *Argo* sieht aus wie ein Schlitten. Das 4,60 Meter lange, 1,10 Meter hohe und 1,10 Meter breite Gerät wiegt etwa 1000 Kilogramm. Es ist mit nach vorne und nach unten ausgerichteten Video-

🔌 🔌 🔌 **W**ir hatten noch kein einziges Zeichen des Wracks gefunden. Unser Selbstbewusstsein befand sich auf dem Nullpunkt.
Robert Ballard

Links: Das System *Argo*, eine fern-gesteuerte Tiefseekamera, die auf einem Schlitten befestigt ist und an einem langen Kabel unter dem Boot hergeschleppt wird. Das Gerät darf sich beim Fotografieren nicht in den Trümmern des Wracks verkeilen.

Oben: Robert Ballard mit Crew-Mitgliedern über den Karten. Die nächsten Bahnen für den Schlitten mit der Unterwasserkamera werden festgelegt.

Oben: Robert Ballard (stehend, Mitte) und Jean-Louis Michel (ganz rechts) sowie andere Crewmitglieder betrachten an Bord der *Knorr* Videoaufnahmen, die das Tauchfahrzeug *Argo* bei der Suche nach der *Titanic* vom Meeresboden gemacht hat.

kameras und extrem leistungsstarken Scheinwerfern, die den Meeresboden ausleuchten sollen, bestückt. Über ein Glasfaserkabel werden die Bilder fast zeitgleich mit der Aufnahme auf Monitore im Leitstand der *Knorr* übermittelt, wo das Team rund um die Uhr – in drei Wachen– nach Gegenständen Ausschau hält, die auf die *Titanic* hinweisen.

Eigentlich rechnen Jean-Louis Michel und Robert Ballard fest damit, dass sie irgendwo im Titanic-Graben ein Trümmerteil aus dem Wrack finden. Aber da ist nichts. Sie sehen nur schlammigen Meeresboden. Während jeder Wache. Tagelang, endlose Stunden lang. Bis auf den Müll, den manche Schiffe einfach über Bord werfen – die Strecke zwischen Southampton und New York ist eine viel befahrene Schifffahrtsroute –, gibt es nichts zu sehen als den ewig gleichen schlammigen Meeresboden.

Nach neun Tagen vergeblicher Mühe kommt Langeweile auf. Und Lustlosigkeit. Die Stimmung im Team kippt. Die enttäuschten Crewmitglieder fragen sich, ob Ballard und Michel wirklich das richtige Suchgebiet ausgewählt haben. Sie machen Vorschläge, wie man in der kurzen verbleibenden Zeit das Ding noch drehen kann. Sie wollen auf keinen Fall mit leeren Händen nach Hause kommen. Es kommt zu einer Krisensitzung an Bord.

Aber die beiden Expeditionsleiter besprechen sich und kommen zu dem Schluss, dass es keine andere Strategie geben kann, als unbeeindruckt bei ihrem ursprünglichen Plan zu bleiben. Murrend macht das Team weiter. Das Wetter wird wieder schlechter, sie erwarten jeden Augenblick Sturm. Nur noch fünf Tage, dann ist die Expedition vorbei. Am Ende dieser Nacht werden sie auf das Gebiet stoßen, das sie bereits mit dem SAR abgesucht haben. Im Grunde haben sich die meisten an Bord bereits mit einem Scheitern abgefunden, als Jean-Louis Michel am 1. September 1985 um Mitternacht seine Wache antritt. Robert Ballard legt sich für ein paar Stunden aufs Ohr.

Während der ersten Stunde starrt Jean-Louis auf seinem Monitor wie gewohnt auf Schlamm.

Fünfeinhalb Wochen suchen sie nun schon vergeblich. Jean-Louis ist erschöpft und müde. Seine Augen brennen und die zermürbende, durch und durch enttäuschende Suche empfindet auch

er als bedrückend. Aber er arbeitet dennoch hoch konzentriert. Plötzlich tauchen mehrere Gegenstände auf dem Monitor auf, die sie nicht gleich einordnen können. Handelt es sich wieder einmal um den Müll heutiger Schiffe? Auf den Monitoren erscheinen immer mehr Objekte. Die Männer im Leitstand sind augenblicklich hellwach. Sie zoomen die Gegenstände mit der Kamera heran. Die Auflösung ist nicht gerade hoch. Die Bilder auf dem Monitor sind grobkörnig, wie durch Nebel. Noch ist nicht klar, auf was sie da gestoßen sind, als plötzlich ein größeres Objekt ins Blickfeld gerät. Jean-Louis hat sich umfassend mit der *Titanic* beschäftigt, hat die Konstruktionspläne eingesehen und sich viele Fotos eingeprägt. Er weiß bereits in der Sekunde, in der das Objekt auftaucht, dass es sich dabei um einen Dampfkessel aus dem Bauch der *Titanic* handelt. Er ist etwa zur gleichen Zeit konstruiert worden wie der Eiffelturm. Die charakteristische Bauweise mit vorgefertigten Stahlteilen und Stahlnieten lässt keinen Raum für Zweifel. Jean-Louis spürt sein Herz klopfen. Sie haben sie gefunden. Endlich. Sie stehen genau über dem Trümmerfeld. Das Wrack liegt in nächster Nähe.

Robert Ballard wird geweckt. Sie zeigen ihm die Aufnahmen des Heizkessels und auch er weiß sofort, was es damit auf sich hat. Die beiden Expeditionsleiter brechen nicht in Jubel aus, sondern bleiben ganz still. Beide haben schwer an der Last der Verantwortung

Der 5,20 Meter hohe Dampfkessel zeigt Jean-Louis Michel, dass sie das Wrack der *Titanic* gefunden haben. Die Crew um Robert Ballard (mit Baseballkappe) ist völlig aus dem Häuschen.

Die *Titanic*-Suchexpedition

Robert Ballard und Jean-Louis Michel bereiten zwei Jahre lang – von 1983 bis 1985 – die Expedition vor.

Jean-Louis Michel arbeitet an der Entwicklung des SAR.

Robert Ballard konstruiert den Tauchschlitten *Argo*.

Jean-Louis Michel ermittelt die Position des Wracks und grenzt das Suchgebiet ein.

5. Juli 1985: Die Suche nach dem Wrack beginnt.

In den ersten drei Wochen wird mithilfe des von Jean-Louis Michel entwickelten SAR auf dem französischen Forschungsschiff *Le Suroît* gesucht. Die *Titanic* wird nicht entdeckt.

In der zweiten Phase wird zwölf Tage lang mithilfe von *Argo* auf dem amerikanischen Forschungsschiffes *Knorr* gesucht. Zunächst ohne Erfolg.

Erst fünf Tage vor Ende der Expedition wird die *Titanic* am 1. September 1985 entdeckt. Den Forschern bleiben nur vier Tage, um Aufnahmen zu machen.

getragen. Jetzt können sie seit langer Zeit zum ersten Mal wieder etwas leichter atmen. „Das ist kein Zufall!", meint Jean-Louis schließlich. Robert Ballard nickt. Er weiß, was Jean-Louis damit ausdrücken möchte: Sie haben sich diesen Erfolg schwer erarbeitet. Sie haben ihn verdient.

Wenige Augenblicke später ist der Leitstand voller Menschen, die aufgeregt durcheinanderreden. Alle sind in Feierlaune. Irgendwer holt eine Flasche Wein aus einem Versteck – eigentlich ist Alkohol an Bord verboten! – und sie stoßen miteinander an. Da sagt einer der Männer: „Schaut mal auf die Uhr!" Es ist fast zwei Uhr nachts, die Stunde, in der die *Titanic* versank. Die Stunde, in der 1500 Menschen verzweifelt um ihr Leben kämpften. Die Stunde des eisigen Todes. Auf einmal fühlen sich die Mitglieder des Suchteams mit all diesen Menschen verbunden, die an genau dieser Stelle, an der sie sich gerade befinden, vor 73 Jahren einen schrecklichen Tod starben.

Wir wussten, wir stehen genau über dem Wrack. Wir unterbrachen die Arbeit und genossen den Moment.

Jean-Louis Michel

In den nächsten Tagen verstärkt sich das Gefühl der Verbundenheit mit den Menschen, deren Schicksal mit dem Untergang des berühmten Schiffes verbunden ist, noch weiter. Sie finden ohne große Mühe den eindrucksvollen Bug mit der Brücke, auf der man Kapitän Smith zuletzt sah. Der Bug steht aufrecht. Es sieht so aus, als hätte das Vorschiff den Aufprall, bei dem es sich 15 Meter tief in den Boden gebohrt hat, einigermaßen gut überstanden. Der Schlitten mit der Kamera fliegt über den Bug hinweg und sendet atemberaubende Bilder in den Leitstand.

Seitlich der Brücke befinden sich auf dem obersten Deck noch die Kräne, an denen die Rettungsboote ins Wasser gelassen wurden. Sie stehen leer da, so, wie die Heizer sie zuletzt sahen. Jean-Louis Michel und Robert Ballard sind den Tränen nahe. Die Legende wird zu einer Geschichte, die wirklich stattgefunden hat. Die Kameras wandern weiter. Sie übermitteln Bilder von einem riesigen Loch auf dem obersten Deck. Es ist die Öffnung für den Schornstein. Aber da ist kein Schornstein, denn der stürzte ja ins Meer, als sich das

❓ Position des Wracks

Das Wrack der *Titanic* wurde in 3803 m Tiefe gefunden. Es liegt ungefähr 13,5 Meilen ostsüdöstlich ihrer letzten angegebenen Position (auf 41° 43′ 55″ N 49° 56′ 45″ W) in einer Hügellandschaft. Der Wasserdruck, der auf die Tauchgeräte in dieser Tiefe ausgeübt wird, beträgt 400 kg/cm².

Bescheidenheit – das ist es, was die *Titanic* mich gelehrt hat. Als Ingenieur und als Mensch.

Jean-Louis Michel

Schiff senkrecht stellte, und rettete Lightoller das Leben. Sie sehen mit eigenen Augen, dass das Schiff tatsächlich auseinandergebrochen ist. Bis zu diesem Zeitpunkt war das gar nicht so klar, weil die Überlebenden unterschiedliche Geschichten erzählten. Lightoller will beispielsweise damals aus dem Augenwinkel gesehen haben, dass das Schiff in einem Stück unterging. Aber Ballard und Jean-Louis Michel bringen jetzt Bilder aus der Tiefe nach oben, die eindeutig belegen, dass das Achterschiff fehlt. Es liegt in etwa 600 Metern Entfernung.

20 000 Bilder schießen sie in den viereinhalb Tagen, die ihnen verblieben sind. Die Kamera fängt Bilder von Silbertabletts, von einer Teetasse, von mehreren Weinflaschen ein. Leichen oder Skelette finden sich nicht beim Wrack. Die Überreste der Ertrunkenen sind längst verschwunden. Aber jeder einzelne Gegenstand, den sie fotografieren, erzählt eine kleine, berührende Geschichte über die Menschen, die mitten im Leben vom Tod überrascht wurden.

Als das Forschungsschiff schließlich den Ort verlassen muss, an dem das Wrack liegt, fallen Jean-Louis Michel und Robert Ballard in einen komaähnlichen Schlaf. Viereinhalb Tage haben sie kein Auge zugemacht.

Der Bug der *Titanic*. Eisen-fressende Bakterien durchlöchern das Wrack. Irgendwann wird die *Titanic* verschwunden sein.

Während sie noch auf der Heimfahrt sind, geht die Sensation längst um die Welt. Tagelang beherrscht die Entdeckung des berühmten Wracks die Schlagzeilen. Die Bilder, die die Forscher mitbringen, stoßen auf riesiges Interesse. Sofort gibt es Überlegungen, das Schiff zu heben oder wenigstens so viele Fundstücke wie möglich zu bergen. Ein Vermögen ließe sich damit machen, rechnen sich clevere Geschäftsleute aus. Jean-Louis Michel weist solche Gedanken weit von sich. Für ihn wird der Ort, an dem die *Titanic* liegt, nie etwas anderes sein als ein Ort des Gedenkens. Er gehört den Menschen, die in jener bitterkalten Nacht gestorben sind, und ihren Angehörigen. Und niemandem sonst.

Jean-Louis Michel arbeitet heute weiter an der Erforschung der Meere. Seine Arbeit soll dazu beitragen, die Meere zu schützen und die Wasserqualität zu verbessern. Er ist sehr beschäftigt, steckt voller Pläne für die Zukunft. Manchmal denkt er aber noch an die schwierige, nervenaufreibende Suche nach dem berühmtesten Schiff der Welt. Die *Titanic* hat ihn eine wichtige Lektion gelehrt. Dass viele Ingenieure die *Titanic* 1912 für unsinkbar hielten, ist dem Ingenieur Jean-Louis Michel stets eine Warnung, sich nie zu sicher zu fühlen. „Bescheidenheit!“, sagt er ohne zu zögern, „das ist es, was die *Titanic* mich gelehrt hat.“

▶ Chronik

1849 Gründung der White Star Line
18. Januar 1868 Thomas Henry Ismay kauft die White Star Line.
23. November 1899 Bruce Ismay übernimmt nach dem Tod seines Vaters die Leitung der White Star Line.
1902 Die White Star Line wird Teil einer US-amerikanischen Handelsgesellschaft, der International Mercantile Marine Company (IMM).
1903 Die Belfaster Hafenbehörde beschließt, ein Riesendock zu bauen, um Schiffe mit gigantischen Ausmaßen trockenlegen zu können.
Februar 1904 Bruce Ismay wird Generaldirektor der IMM.
1907 Bruce Ismay plant den Bau von drei riesigen Schiffen, die *Olympic,* *Titanic* und *Gigantic* heißen sollen.
31. Juli 1908 Der Bau der *Titanic* und ihrer zwei Schwesterschiffe wird beschlossen und vertraglich festgelegt.
31. März 1909 Baubeginn der *Titanic* in der Belfaster Werft, Kiellegung
31. Mai 1911 Der Bau der *Titanic* ist abgeschlossen, das Schiff wird vom Stapel gelassen.
3. Februar 1912 Die *Titanic* wird in Belfast ins Trockendock geschleppt, wo die Schiffsschrauben montiert werden. Die letzte Farbschicht wird aufgetragen.
25. März 1912 Die Rettungsboote werden ausprobiert.
2. April 1912 Die *Titanic* unternimmt eine Testfahrt in der Bucht von Belfast, Nordirland. Abends bricht sie nach Southampton im Süden Englands auf.
3. April 1912 Kurz nach Mitternacht erreicht die *Titanic* Southampton und wird mit Vorräten beladen.
6. April 1912 Fracht und Kohle werden verladen, der Großteil der Besatzung eingestellt.
8. April 1912 Es werden frische Lebensmittel an Bord gebracht. Thomas Andrews, der Erbauer des Schiffes, überwacht die letzten Vorbereitungen.
10. April 1912 Der Tag der Abfahrt: Die Passagiere gehen an Bord. Gegen Mittag legt das Schiff ab und fährt von Southampton nach Cherbourg, Frankreich. Dort steigen weitere Passagiere zu. Nachts geht es weiter nach Queenstown, Irland.

11. April 1912 In Queenstown werden weitere Passagiere sowie Postsäcke an Bord genommen. Mit 2208 Menschen an Bord begibt sich die *Titanic* auf ihre erste Transatlantikfahrt Richtung New York.
13. April 1912 Auf ihrer Fahrt über den Nordatlantik erhält die *Titanic* mehrere Eiswarnungen von anderen Schiffen.
14. April 1912, 22:00 Uhr Wieder erhält die *Titanic* zahlreiche Eiswarnungen. Die Männer im Krähennest erhalten den Befehl, auf Eisberge zu achten. Die Temperatur liegt knapp unter 0° C, der Himmel ist wolkenlos, die Luft klar.
14. April 1912, 23:40 Uhr Der wachhabende Matrose Frederick Fleet entdeckt einen Eisberg direkt voraus und läutet die Alarmglocke, doch ein Zusammenstoß kann nicht mehr vermieden werden. Der Eisberg trifft die Bugseite der *Titanic* und schrammt an Steuerbord an ihr entlang.
15. April 1912, Mitternacht Der Bug der *Titanic* fängt an zu sinken. Kapitän Smith und Thomas Andrews erkennen das Ausmaß des Schadens. Der erste Notruf wird entsendet.
15. April 1912, 00:05 Uhr Der Kapitän gibt den Befehl zur Einleitung der Evakuierung.
15. April 1912, 00:10–01:50 Uhr Besatzungsmitglieds des nahen Schiffs *Californian* sehen die Lichter der *Titanic* und später auch Raketen, erkennen sie aber nicht als Notsignale und kümmern sich nicht weiter darum.
15. April 1912, 00:25 Uhr Der Funker an Bord der *Carpathia* fängt einen Notruf der *Titanic* auf. Das Schiff fährt so schnell wie möglich gen Nordwesten, um den Menschen an Bord zu Hilfe zu kommen.
15. April 1912, 00:30 Uhr Wasser dringt in die Quartiere der Besatzung auf dem vorderen E-Deck.
15. April 1912, 00:45 Uhr Rettungsboot 7 wird mit 21 Menschen abgefiert, 65 hätten Platz gehabt. Offizier Boxhall schießt die erste Leuchtrakete ab, danach folgen sieben weitere im 5-Minuten-Takt.
15. April 1912, 00:55 Uhr Rettungsboot 5 wird mit 42 Menschen zu Wasser gelassen, Rettungsboot 6 mit 28 Menschen. In beiden hätten je 65 Menschen Platz gefunden.
15. April 1912, 01:05 Uhr In Rettungsboot 3 sitzen 50 Menschen.
15. April 1912, 01:10 Uhr Rettungsboot 1 wird mit zwölf Menschen abge-

fiert, 40 hätten Platz gehabt. In Rettungsboot 8, das 65 Menschen Platz geboten hätte, sitzen nur 32 Menschen.
15. April 1912, 01:15 Uhr Das Wasser steht jetzt bis zum Namenszug der *Titanic* am Bug, das Schiff bekommt starke Schlagseite nach Steuerbord.
15. April 1912, 01:20 Uhr Die Rettungsboote 9 und 10 werden abgefiert, eins mit 56 Insassen, eins mit 55.
15. April 1912, 01:25 Uhr Rettungsboote 11 und 12 werden zu Wasser gelassen. In Boot 11 drängen sich 70 Menschen, in Boot 12 sitzen nur 42 Hilfesuchende.
15. April 1912, 01:30 Uhr An Deck bricht Panik aus, die Funker senden verzweifelte Notrufe. Rettungsboot 14 wird mit 63 Personen abgefiert.
15. April 1912, 01:35 Uhr Die vollbesetzten Boote 13 und 15 (70 Passagiere drängen sich in Rettungsboot 15, 64 Menschen sitzen in Rettungsboot 13) wären fast zusammengestoßen, Boot 13 kann sich gerade noch in Sicherheit bringen. Auch Boot 16 wird mit über 50 Personen an Bord abgefiert, darunter auch Frauen und Kinder aus der 2. und 3. Klasse.
15. April 1912, 01:40 Uhr Das Faltboot C fasst 47 Personen und wird mit 43 Personen zu Wasser gelassen.
15. April 1912, 01:45 Uhr Rettungsboot 2 fasst 40 Personen und ist mit 26 Menschen besetzt, als es abgefiert wird.
15. April 1912, 01:55 Uhr Das Rettungsboot mit der Nummer 4, Fassungsvermögen 65 Mann, wird mit 40 Insassen zu Wasser gelassen. Unter ihnen ist die Frau von John Jacob Astor, dem der Zugang zum Boot verwehrt wird.
15. April 1912, 02:00 Uhr Das Wasser steht knapp 3 Meter unter dem Promenadendeck.
15. April 1912, 02:05 Uhr Noch immer befinden sich mehr als 1500 Menschen auf dem sinkenden Schiff. 46 Menschen werden in Faltboot D abgefiert.
15. April 1912, 02:15 Uhr Wasser bricht durch die Glaskuppel. Kapitän Smith entbindet die Besatzungsmitglieder von ihren Pflichten.
15. April 1912, 02:17 Uhr Der Bug der *Titanic* taucht unter, der vordere Schornstein bricht ab. Die Kapelle beendet ihr Spiel. Alle beweglichen Teile an

Bord rutschen zum Bug. Viele Menschen springen über Bord. Das Faltboot A, in dem 47 Menschen Platz gefunden hätten, treibt ab und bietet später 16 Menschen Zuflucht. Das Faltboot B schwimmt kieloben, 30 Männer (darunter Charles Lightoller) klammern sich verzweifelt daran fest.

15. April 1912, 02:18 Uhr Das Schiff steht nun fast senkrecht mit dem Bug nach unten, das Heck ragt in den Nachthimmel. Die Lichter auf der *Titanic* erlöschen, weil alle Kessel unter Wasser stehen. Das Schiff zerbricht in zwei Teile, das Vorderschiff sinkt.

15. April 1912, 02:20 Uhr Auch das Achterschiff verschwindet in den Fluten.

15. April 1912, 03:30 Uhr Die Überlebenden in den Rettungsbooten entdecken die Raketen der *Carpathia*, die zur Rettung der Schiffbrüchigen herbeieilt.

15. April 1912, 04:00 Uhr Die *Carpathia* erreicht die zuletzt von der *Titanic* angegebene Position.

15. April 1912, 04:10 Uhr Als erste Überlebende klettert Elizabeth Allen aus Rettungsboot 2 an Bord der *Carpathia*.

15. April 1912, 08:30 Uhr Die Insassen des letzten Rettungsbootes werden an Bord der *Carpathia* genommen. Ein zweites Schiff, die *Californian*, erreicht die Unglücksstelle und beginnt mit der Suche nach Überlebenden.

15. April 1912, 08:50 Uhr Die *Carpathia* verlässt den Unglücksort und nimmt mit 712 Überlebenden Kurs auf New York.

18. April 1912 Die *Carpathia* erreicht New York.

19. April 1912 Die Untersuchung der Katastrophe in New York beginnt. Es sind 82 Zeugen geladen.

24. April 1912 Als die *Olympic,* das Schwesterschiff der *Titanic*, zu ihrer Fahrt über den Atlantik auslaufen soll, streiken die Heizer – sie weigern sich, auf einem Schiff zu arbeiten, das nicht über genügend Rettungsboote verfügt.

1913 Bruce Ismay gibt seine Ämter bei der IMM auf.

April 1913 Eine internationale Eispatrouille wird eingerichtet, die die Schifffahrtswege im Nordatlantik überwacht.

1952 Tod von Charles Lightoller

1953 Erste ernsthafte, aber erfolglose Suche eines britischen Unternehmens nach dem Wrack der *Titanic*

Juli 1980 Der amerikanische Unternehmer Jack Grimm finanziert eine Expedition, die nach dem Wrack der *Titanic* sucht – der Erfolg bleibt jedoch aus.

Juni 1981 Jack Grimm organisiert eine zweite Expedition, doch auch diesmal wird das Wrack nicht gefunden.

Juli 1983 Auch auf der letzten von Jack Grimm finanzierten Expedition wird das Wrack nicht entdeckt.

1. September 1985 Eine französisch-amerikanische Forschungsexpedition unter Leitung von Jean-Louis Michel und Robert Ballard entdeckt das Wrack der *Titanic* in einer Tiefe von 3740 m auf dem Meeresboden. Mit Hilfe der unbemannten Kameraschlitten *Argo* und *Angus* wird das Trümmerfeld genau dokumentiert.

August 1986 Robert Ballard kehrt, unterstützt von der US-Navy, mit einer zweiten Expedition zum Wrack der *Titanic* zurück und erkundet mit Hilfe des Tauchboots *Alvin* das Trümmerfeld.

Juli 1987 Ein französisches Forschungsteam fährt zum Wrack der *Titanic* und birgt mit Hilfe des Tauchboots *Nautile* 1800 Gegenstände vom Meeresboden.

1991 Erste größere *Titanic*-Ausstellung mit geborgenen Ausstellungsstücken in Stockholm. Eine kanadisch-sowjetische Expedition taucht zum Wrack, um Filmaufnahmen zu machen.

1994 Ausstellung „Das Wrack der Titanic" in London mit über 700 000 Besucherinnen und Besuchern

1998 Es gelingt, einen Teil der Bordwand der *Titanic* zu bergen.

1997 *Titanic*-Ausstellung in Memphis und Hamburg

8. Januar 1998 Der Film *Titanic* von James Cameron kommt in die deutschen Kinos und wird zum erfolgreichsten Film aller Zeiten.

31. Mai 2009 Mellvina Dean, die letzte Überlebende der *Titanic*-Katastrophe, stirbt mit 97 Jahren.

 Museen

Deutsches Auswandererhaus Bremerhaven
Columbusstraße 65
27568 Bremerhaven
Das Museum im größten deutschen Auswandererhafen widmet sich dem Thema Auswanderung – von hier aus brachen

insgesamt 7,2 Mio. Auswanderer in die Neue Welt auf.

Deutsches Schiffahrtsmuseum
Hans-Scharoun-Platz 1
27568 Bremerhaven
Hier kann man Schifffahrtsgeschichte von ihren Anfängen bis heute erleben.

Merseyside Maritime Museum
Albert Dock
Liverpool
L3 4AQ England
Das Museum zeigt u.a. ein etwa 6 Meter großes Modell der *Titanic*.

Buchtipps

Duncan Crosbie: *Titanic. Das berühmteste Schiff aller Zeiten,* Lingen Verlag, Köln 2007
Martin Jenkins: *Titanic.* Oetinger, Hamburg 2007

Filmtipps

Die Geister der Titanic IMAX
DVD 2003
Keine Altersbegrenzung
3D-Dokumentation von James Cameron, der mit dem russischen Tauchboot *MIR* das Wrack der *Titanic* erforscht.

Titanic
DVD 2005
Ab 12 Jahren
Kinofilm von James Cameron. Auf der Jungfernfahrt der *Titanic* begegnen sich die junge Aristokratin Rose und der arme Künstler Jack, deren beginnende Liebe durch den Untergang der *Titanic* ein jähes Ende findet.

Webtipps

www.encyclopedia-titanica.org
(engl.) Die weltweit umfangreichste *Titanic*-Webseite über die Menschen an Bord
www.titanicverein.ch
Auf der Webseite des Schweizer *Titanic*-Vereins findet man viele interessante Infos – über die Menschen an Bord wie über technische Details.

Register

Bildnachweis
akg-images Berlin: Umschlag hinten l, S. 2, 4–5, 8u, 23ol, 30–31u, 38; Associated Press: S. 40; CORBIS/Reuters/Joe Marquette: S. 47/Stuart Westmorland: S. 46/Ralph White: S. 50, 52u, 52–53m, 54ul, 55ol, 56–57o; INTERFOTO/Mary Evans Picture Library: S. 9o, 10o; Jauch und Scheikowski, Porep: S. 6–7 (Hintergrund), 28; Library of Congress, Washington D. C.: S. 10–11u, 31om, 35u, 42, 44ul; mauritius images/SuperStock: Umschlag vorn o; © National Geographic Image Collection/Emory Kristof: S. 54–55m, 57ml; Maja Nielsen: Umschlag hinten or, S. 7ml, 49; NOAA Photo Library: S. 8mr, 26; picture-alliance/dpa/AFP: S. 20mr, 48/dpa/AFP/National Geographic: Umschlag vorn ul/dpa/AFP/National Geographic/Emory Kristof: S. 58ol/dpa/ RMS Titanic/Discovery Channel Online: S. 58–59m/KPA/TopFoto: S. 41o/OKAPIA/Barrett&MacKay: S. 14

Quellennachweis
Robert D. Ballard, Rick Archbold: *Das Geheimnis der Titanic. 3800 Meter unter Wasser.* Erschienen 1998 bei Ullstein, München. Lawrence Beesley: *Titanic – Wie ich den Untergang überlebte. Ein Augenzeugenbericht* © Schiffahrts-Verlag Hansa, Hamburg. Tom Kuntz (Hrsg.): *The Titanic Disaster Hearings.* Zusammenstellung © Tom Kuntz 1998. Für die deutsche Übersetzung Tom Kuntz (Hrsg.): *Titanic-Protokolle – Die Berichte der Überlebenden.* Mit einem Vorwort von James Cameron © 1998 Heel Verlag GmbH, Königswinter. Leider war es uns nicht in allen Fällen möglich, die Rechteinhaber ausfindig zu machen; alle Ansprüche bleiben gewahrt.